TRAPPED IN A VIDEO GAME

勇敢者游戏

5 终极对决

〔美〕达斯廷·布雷迪◎著

〔美〕杰西·布雷迪◎绘　　石若琳◎译

U0642850

北京科学技术出版社

100层童书馆

TRAPPED IN A VIDEO GAME (BOOK 5): THE FINAL BOSS by DUSTIN BRADY AND JESSE BRADY

Copyright © 2018 Dustin Brady

Cover art and design by Jesse Brady

This edition arranged with ANDREWS MCMEEL PUBLISHING

through BIG APPLE AGENCY, INC., LABUAN, MALAYSIA.

Simplified Chinese edition copyright:

2024 Beijing Science and Technology Publishing Co., Ltd.

All rights reserved.

著作权合同登记号 图字：01-2024-1558

图书在版编目（CIP）数据

勇敢者游戏.5,终极对决/（美）达斯廷·布雷迪著；（美）杰西·布雷迪绘；石若琳译. —北京：北京科学技术出版社，2024.5（2024.9重印）

书名原文：Trapped in a Video Game：The Final Boss

ISBN 978-7-5714-3657-5

Ⅰ.①勇… Ⅱ.①达… ②杰… ③石… Ⅲ.①儿童故事—作品集—美国—现代 Ⅳ.① I712.85

中国国家版本馆 CIP 数据核字 (2024) 第 028337 号

策划编辑：徐乙宁	邮政编码：	100035
责任编辑：张　芳	电　话：	0086-10-66135495（总编室）
责任校对：贾　荣		0086-10-66113227（发行部）
营销编辑：侯　楠	网　址：	www.bkydw.cn
图文制作：天露霖文化	印　刷：	三河市华骏印务包装有限公司
封面设计：包茨莹	开　本：	880 mm×1230 mm　1/32
责任印制：吕　越	字　数：	104千字
出 版 人：曾庆宇	印　张：	6.75
出版发行：北京科学技术出版社	版　次：	2024年5月第1版
社　址：北京西直门南大街16号	印　次：	2024年9月第2次印刷
ISBN 978-7-5714-3657-5		

定　价：32.00元

目　录

前情提要

　　这是本系列的最后一本，请你一定要从第一本开始看。你如果直接看这本，揭前知道了结局，再精彩的内容也会变得索然无味。根据"科学研究"，跳过前面的内容可能影响你的健康，相当于一天吃十二个巧克力夹心面包。就算你下定决心要一口气把这些"甜食"都吃到肚子里，也一定要先看看下面的内容。这几段话言简意赅，对本系列的前四本进行了很好的总结。

　　本系列讲的是小男孩杰西·里格斯比的故事。他特别喜欢研究蚂蚁——大蚂蚁、小蚂蚁、黑蚂蚁（倒是没有咬人的蚂蚁，那种太吓人了）。整个系列都没有什么令人匪夷所思的情节。杰西没有变成蚂蚁超人或蚂蚁小子，他只是一个喜欢蚂蚁的无趣男孩罢了。喜欢这套书的人，要不就是超级喜欢蚂蚁，要不就是听信了传言，真的以为读完整套书，就能找到线索，成功找到宝藏——取之不尽、吃之不竭的夹心面包。

什么？你不知道我说的传言是什么？那就当我什么也没说。千万不要为了找宝藏，回过头来看前四本书中有没有线索。这种做法很实用，却也有点儿傻。

好了，讲到这里，那些没看过前面几本书的人是不是已经去找线索了？只剩我们俩了？那我就和你说实话吧，根本没有什么线索或宝藏，只不过是我略施小计，想让那些人好好看看前面四本书罢了。如果你已经读完前面四本书有一段时间了，可以通过下面的介绍，回顾一下故事讲到了哪里。

本系列的第一本讲的是，地球上的一个小男孩杰西·里格斯比误打误撞地进入了电子游戏《火力全开》的世界。（老实说，看到这本书的名字你应该就能发现蚂蚁的故事是假的。）在游戏世界中，杰西遇见了他的好朋友埃里克·康拉德，他们被一个叫巴格其勒的面具怪盯上了。巴格其勒的职责是消除游戏中的漏洞，而他认定这对好朋友就是必须被处理的漏洞。最终，杰西和埃里克在同班同学马克·惠特曼的帮助下，成功逃出游戏世界。可惜，马克为了掩护他们，仍被困在游戏世界里。

在本系列的第二本中，杰西和好朋友埃里克为了营救马克，闯进了超级生物软件公司一款类似于《宝可梦GO》的手机游戏——《疯狂怪兽》的世界。两个人不仅要和游戏世界中的怪兽展开搏斗，还要应付这一切的始作俑者——超级生物软件公司的董事长杰弗瑞·德尔菲诺。在同班同学查理的爸爸格雷戈里先生的帮助下，他们终于把马克从游戏世界中救了出来。然而，在营救马克的过程中，他们破坏了超级生物软件公司的系统，游戏世界里的所有怪物和机器人都跟着来到了现实世界。

在本系列的第三本中，超级生物软件公司制作的游戏中的机器人在现实世界搞起了破坏。它们在小镇里到处设立游戏关卡，把下水道、废旧工厂和游乐场都变成了让人毛骨悚然的战斗基地。更糟的是，埃里克还被当作"公主"掳走了。杰西、马克和来自澳大利亚的女孩萨莉，以及无人机罗杰团结协作，才帮助埃里克摆脱了被机器人制造的火箭带去月球的命运。大家最后都平安无事，格雷戈里先生还特意找到杰西，询问他有没有和别人提过"董事会"的事。这确实有点儿奇怪。更离谱的是格雷戈里的儿子查理。他认定救了马克之后回来的"格雷戈里先生"不是自己的爸爸，而是一个机器人。如果查理说的是真的，那真正的格雷戈里先生去哪儿了呢？

在本系列的第四本中，杰西、埃里克和格雷戈里先生的儿子查理一起寻找事情的真相。可惜的是，他们的行动很快引起了机器人间谍的怀疑，几个人差点儿丧命。好在关键时刻，他们逃到了一款古老的像素游戏《绝命岛》的世界中，这可是 20 世纪的"老古董"了。在坏人的围追堵截下，杰西一行人又被传送到了亿万富翁马克曼·鲁本的办公室。马克曼就是一切阴谋的幕后主使。原来，马克曼一直妄想利用超级生物软件公司和格雷戈里先生的发明创建鲁本宇宙，把世界上的所有人都关进去，好让自己成为宇宙的主宰。他把这种丧心病狂的行为称为鲁本狂欢。好在杰西和埃里克用自己的聪明才智，挫败了马克曼的阴谋，但马克曼却带着部分手下趁机逃走了。

01

拯救世界——
倒计时十分钟

十分钟的时间并不是很长。

假设我命令你在接下来的十分钟里做一件有意思的事，且这件事的完成情况将决定你的生死，现在就开始倒计时，你会做什么？十分钟连一个电视节目都看不完，更别说看一场电影了。要是你想去家旁边的游泳馆游泳，恐怕刚出门时间就到了。把你所有的软弹枪玩一遍、说服朋友和你用扑克玩钓鱼游戏也来不及（当然了，我觉得打扑克也没什么意思）。

也许你打算在网上找个有意思的视频看看。那你可要当心了，网上的视频浩如烟海，一定要好好挑——毕竟你的小命和这个视频息息相关。假设你千挑万选，挑了一条表演吃变态辣食物的视频，你点进去却发现必须先看三十秒的广告，而看完广告后视频创作者就开始卖力博关注，宣传自己的账号。你肯定直冒冷汗，因为时间在一分一秒流逝，你却没找到任何"意思"。

于是，你打算直接看后面，却一不小心拉过了头——完了！这个人已经被辣得直叫！你想把视频倒到他开始吃东西的地方，但是十分钟已经到了。没办法，你只能下线。

讲这么多，我只是想说一点，那就是十分钟连做一件有意思的事都不够。要说在十分钟内拯救世界，那简直就是天方夜谭！

不幸的是，格雷戈里先生就准备让我们来完成这个不可能完成的任务。这件事要从头说起，亿万富翁马克曼·鲁本利用格雷戈里先生发明的技术，在电子游戏世界中创造了鲁本宇宙，妄想把地球上的所有人都关到里面任他摆布。是的，所有人！包括我的小表妹奥维利亚——她刚出生没多久，脑袋还竖不起来呢！还有我那最讨厌电子游戏的姑妈戴安和八十八岁高龄的邻居加尔迪诺太太——连每天都去公园锻炼的慈祥老太太他都不肯放过。马克曼还把这个计划称为鲁本狂欢。

总之，事态的发展不容乐观。我又被传送回格雷戈里先生身边，与此同时，系统用那种电梯中播报楼层的女声开始了倒计时。

"距离毁灭还有十分钟。"

再次回到马克曼投资公司的六层，我感觉自己比之前更慌了。"到底是怎么回事？"我急得直挠头，赶紧问格雷戈里先生。

"他开始倒计时了，还屏蔽了我！我现在完全打不开系统，不知道怎么做才能阻止他！"格雷戈里先生一边喊，一边对着面前的五个键盘疯狂敲击，看上去情绪已经失控了。

"什么？'他'是谁？怎么回事？"

我还没组织好语言，埃里克也被传送了过来。他的开场白和我的出奇地一致："到底是怎么回事？"

"啊啊啊啊！我没时间再解释一遍了！"

我没得到回应，只能继续问："格雷戈里先生，你的意思是马克曼已经找到了启动鲁本狂欢的方法了吗？"

"没错！"

"咱们怎么阻止他？"

格雷戈里先生停止敲击键盘，深吸一口气，转头看向我们："必须到游戏世界中阻止他。"

我感觉头晕目眩。

"这座大楼里所有电脑都由我控制，我很确定这一点。马克曼要想启动鲁本狂欢，唯一途径是进入鲁本宇宙。"

"那我们要进去找他吗？"

"对。而且，要在里面把他的电脑销毁。"格雷戈里先生补充道。

"距离毁灭还有九分钟。"那个女声再次播报。

我彻底慌神了，"九分钟？九分钟根本来不及啊！"

格雷戈里先生在一个工具箱里翻来翻去，顺便回答了我的问题："你忘了吗？虚拟世界里的时间比现实世界中的慢很多。外面的九分钟，在游戏里面就是整整九天。"说着，他从箱子里掏出两块手表，把它们放到了操作台上。

"我倒是没忘，但是他在哪儿啊？他的电脑又是什么样子的？我们到底要怎么做？"

"我也想知道！"

"什么？连你都不知道?！"

格雷戈里先生把那两块手表递到了我们手里说："这上面的时间和倒计时同步，千万不能……"

他的声音开始颤抖。他定了定神，才继续说道："千万不能让上面的数字变成 0，拜托你们了。"

埃里克戴上手表，问道："格雷戈里先生，你也一起去，对吧？"

格雷戈里先生叹了口气："你们不明白，马克曼想要的鲁本宇宙根本没有全部完工。倒计时开始后，鲁本宇宙里会越来越热。鲁本狂欢开始后，系统很有可能会过热，那时候里面的所有人都会被烤熟。如果我……"

"距离毁灭还有八分钟。"那个女声打断了我们的对话。

"……如果我留在这里，至少能通过断路器切断大楼

其他部分的电源，帮你们多争取点儿时间。"他说着指
了指角落里的一个巨大的金属箱子。

我不安地看着埃里克。

"听我说，你们可以选择不进去，因为哪怕真的能在
里面找到马克曼，你们也不一定能阻止他。但是……"

格雷戈里先生用双手捂住脸无奈地说，"时间紧迫，我想不到谁还能帮忙……"

我想要安慰他，想要告诉他不用担心，我和埃里克就是这项任务的完美人选，我们一定可以化险为夷，拯救世界！我张了张嘴巴，想要展现自己的勇气，但却只是嘟囔了几声："嗯嗯嗯。"

"交给我们吧！"埃里克毅然决然地说，说完便朝通往鲁本宇宙的大门走了过去。

我赶紧跟上他："等一等！万一……"

埃里克抬起手，指着手上的手表说："咱们一秒钟也不能等了！"然后，他猛地拉开门，纵身跳进了一片泛着红光的旋涡之中。

我回头望向格雷戈里先生，他欲言又止，最后，千言万语汇成了三个字："对不起。"

我学着埃里克的样子蹲下，准备跳进去。"你总该知道这扇门能把我们带到哪个星球吧？"临跳前，我问了最后一个问题。

"这是随机的。"

带着对未知的惶恐和不安，我闭上眼睛跳了进去。

进入鲁本宇宙之前，我又听到了那个女声令人窒息的倒计时："距离毁灭还有七分钟。"

02

欢迎来到鲁本宇宙

"欢迎来到鲁本宇宙。"那个女声轻松地和我打了声招呼。

我睁开眼睛，发现自己正从差不多两千米的高空向下坠落。看着下面沙漠一般的景观，我赶紧伸手摸后背，想看看有没有降落伞或者飞行器，哪怕有飞鼠装也行啊，只要别让我摔成肉饼就行。但是，我身上什么装备都没有。天哪，真是糟糕！我又试着挥动双臂，万一这里是飞行星球，大家都可以像鸟儿一样自由飞翔呢？可惜我又错了。这时候，我注意到了下面的埃里克，他同样在坠落，不同的是，他似乎很享受这个过程。只见他摆着超人的招牌动作向地面冲了过去。

"埃里克，咱们的计划是什么？"

他压根没有听见我说的话。

"埃里克！"我又大声呼喊，"咱们……啊啊啊啊！"

埃里克朝着一堆岩石冲了过去，看来他根本没有任何计划。

"不要，啊啊啊啊啊！"我努力挣扎，想要抵抗重力的作用，这滑稽程度堪比动画片里的卡通人物。你有没有做过类似从悬崖上掉下来的梦？掉落的过程太吓人，所以通常我们梦不到最后落地就会惊醒。我现在用亲身经历告诉你：人类的大脑太聪明了，因为落到地上的一刹那才是最恐怖的。眼看就要撞向地面了，我紧闭双眼，害怕得忘记呼吸，脑子里一片空白。短暂的疼痛过后，我又听到了那熟悉的女声。

"欢迎来到鲁本宇宙。"

　　我睁开眼睛，发现自己又一次从两千米的高空往下掉，埃里克还是在我的下面。"你慢一点儿啊！"我冲他喊。这次埃里克终于听到了我的声音，他张开双臂，分开两条腿，放慢了坠落的速度。我俩终于在空中"碰头"了。

　　"这也太酷了！"埃里克说，"感觉咱们都飞起来了！"

　　"咱们这是在往下掉呢！"

　　埃里克不甘心地挥动着胳膊："你也这样试试，就像在飞一样！"

　　我一把抓住他："咱们还是想想下一步怎么办吧，别又摔到地面、重新开始游戏啊！"

　　埃里克冲我翻了个白眼，指了指他的左边。

　　我顺着他手指的方向看了过去，陆地的尽头是一处悬崖，下面浪花奔腾，疯狂拍击着岩石。"你开玩笑呢吧！咱们要是掉进去肯定……"

　　啪！

　　"欢迎来到鲁本宇宙。"

　　从两千米的高空掉到水中当然不可能生还，但你知道比那更难以接受的是什么吗？从两千米的高空掉到一堆仙人掌上。我无奈地叹了口气，在又一次开始的挑战中紧紧抓住了埃里克的手，想要瞄准一点儿，和他一起冲到海里去。距离海面只有十几米的时候，我俩松开了手，各自调整姿势掉入海中。

扑通！

成功了！这简直太令人难以置信了！我没有摔成肉饼，而是一下子潜入海中十几米深的地方。我赶紧一边往海面游，一边寻找埃里克。没多久我就看到，他在距离我五六米远的地方，也正朝海面游着。我还没高兴多久，就发现有点儿不对劲，埃里克的身后出现了一片巨大的阴影——就像一头体形庞大的鲸鱼。很快阴影清晰了，我不禁尖叫。

"咕噜咕噜咕噜咕噜！"（在水中尖叫，发出的就是这种声音。）

是一只史前生物！它张着血盆大口，露出了满嘴的尖牙——看上去差不多有二百颗。埃里克还没听到我的声音，就被这只史前生物整个吞进了肚子里。刚吃了我的朋友，它就冲着我贪婪地张开大嘴……

"欢迎来到鲁本宇宙。"

　　"还不如摔到地面上呢！"我大声冲埃里克抱怨，
我们又一起开始新一轮的高空坠落。

　　"说不定咱们游快点儿就能躲过去！"埃里克提议。

　　这一次我们加速往上游，但结果还是不理想。

　　"欢迎来到鲁本宇宙。"

"要不这次你来吸引它的注意力，我去海面找找看有没有船！"

相信你已经猜到了我们这么做的结果。

"欢迎来到鲁本宇宙。"

"要不咱们和它交个朋友！"

……

"欢迎来到鲁本宇宙。"

就这样，我们被这个既像恐龙又像鲨鱼，和鲸鱼一样大的怪物连着吞到肚子里四次。鲁本宇宙简直糟透了。这一次，我们选择静静等待，不做任何无谓的挣扎。有那么一阵，我完全认命了——就让这个怪物把我们吃掉吧，反正过不了多久，全世界的人都要进来，来玩这个史上最差劲的游戏。

"咱们来个'香蕉式'怎么样？"

我耸了耸肩。香蕉式是我们几个孩子发明的跳水姿势，我们经常到家附近的"瀑布"（其实不是真的瀑布，而是一根通向小溪的排水管，出水口水流湍急，就像瀑布一样）那里去练习。但是，小溪很浅，我们为了避免受伤，接近水面的时候会把身体弯成香蕉的形状，这样能缓冲一下，避免一个猛子扎得太深。香蕉式确实是个不错的姿势，但后来还是有孩子因为跳下去冲劲太大受伤了。

很快，市政工作人员就在排水管周围安装了栅栏，上面还挂了一块警示牌，牌子上写着"严禁翻越"四个红色的大字。在现实生活中，香蕉式没起到保护作用，但这是在游戏里啊，从高空往海里跳，说不定这个姿势有用呢。

眼看就要冲入海里，我把身子弯成了香蕉的形状。效果不错，这次我没有潜到海中十几米深的地方，只下潜了三四米，然后我赶紧调整状态，拼命朝海面游。呛了几口水之后，我真的成功了！我欢呼着把头从海面探出来，还没来得及高兴，就意识到了一个新的问题。下一步该怎么办呢？难道我们要顺着悬崖爬上去？这时候，埃里克也在几米远的地方露出了头。

"我们成功了！"埃里克话音刚落，就又被水里的大怪物拽了下去。我吓得不轻，闭上眼睛准备迎接同样的命运。但是，这次抓住我的怪物好像不太一样，因为我没有被拉到水里，而是被带到了天上。这时候我才敢睁开眼睛，原来是一只翼龙歪打正着救了我。

"哇！"我欢呼起来。大概没有人像我一样，被翼龙抓住还这么高兴吧。我抬起头，正好看见埃里克出现在云团下面。很明显，他又开始了新一轮的"游戏"。

"到那边去！"我指着埃里克的方向对翼龙说，虽然知道不太可能，但还是希望它能听懂。

翼龙肯定不知道我在说什么，但它正好抬头，看到了往下掉的埃里克。伴随一声长唳，翼龙展翅冲了过去，一个回旋抓住了他。

"哇！"埃里克和我刚才一样欢呼起来，成了史上第二个为此雀跃不已的人。他顺势爬上了翼龙的背："说不定我也能成为驯龙高手。"看来喜悦已经冲昏了他的头脑。埃里克吹嘘完，身子开始左倾，想让翼龙往左边飞，翼龙却偏偏飞向了右边。埃里克不甘心，手上发力推翼龙，想让翼龙向下飞，它反而飞得更高。翼龙明显对背上这个没事找事的家伙失去了耐心，它一边飞一边晃动身体，想把埃里克甩下去。"唉，看来我驯不了龙。"

驯龙不成，我们只能由翼龙来决定目的地。很遗憾，翼龙打算回家照顾宝宝，我们被带到了它悬崖壁上的巢里。看着嗷嗷待哺的小翼龙，我和埃里克顿时感觉不妙。

唉！难道这就是我们的宿命，我们又要从高空往下掉了

吗？我们能不能……

　　还没来得及想明白，眼前的景象让我倒吸一口凉气。

翼龙巢中有个家伙正静静地坐着，它可比翼龙恐怖多了。

　　它就是巴格其勒。

03
侏罗纪星球

你还记得巴格其勒吧？那个面具怪。它妄想把我和埃里克困到黑匣子里。它可是游戏世界里的老大，上天遁地，无所不能，致力于把那些破坏游戏规则的东西消灭掉。

我们身边的小翼龙都大张着嘴，但是我们顾不上逃跑，只是怔怔地站在原地，盯着巴格其勒。我们就这样和巴格其勒僵持了几秒钟，巴格其勒突然迈着大步冲我们走过来。我这才回过神来，抓住埃里克大喊："跑啊！"

我俩慌忙从翼龙巢里滚了出来，哪怕下面是万丈深渊，跌落在岩石上摔个粉碎也没关系；哪怕回到开始的海里，让海里的大怪物吃掉，从头再来我们也在所不惜，只要不用面对可怕的巴格其勒……

还没来得及多想，一只触手就钩住了我的上衣，逃跑计划宣告失败。再看看埃里克，他也让巴格其勒的另一只触手控制住了。这个可恶的外星人背着飞行器盘旋在空中，突然猛地开足马力，带着我们往悬崖上飞。

"啊啊啊啊！"

我和埃里克就这样飞过了翼龙巢。翼龙妈妈发出刺耳的尖叫声，想要扑过来抓住我们。

"啊啊啊啊！"埃里克的声音更大了。

巴格其勒还是没有一丝表情，漠然地朝着翼龙巢开火。霎时间，整个翼龙巢灰飞烟灭。

"啊啊啊啊！"我和埃里克吓得不轻，差点儿把自己的肺喊炸了。

到达悬崖上后，巴格其勒轻轻地把我们放到地上。

奇怪的是，它没有攻击我们，而是站在对面打量我们。我开始胡思乱想，琢磨着自己可能的出路：跳崖、战斗或者逃跑。想到这儿我又不禁叹了口气，唉，不管选择什么似乎都撑不了几分钟，又要开始新的轮回。格雷戈里先生既然把我们送到游戏里拯救世界，就该想一个可行的方案，而不是让我们到恐龙世界和这个外星杀手决一胜负。现在还能怎么办呢？我张开双臂准备迎战："放马过来吧！"只见巴格其勒动了动脖子，身体发出阵阵蓝光。它缓缓抬起手臂上的发射器，对准我的胸口。我赶紧闭上眼睛，不敢看，更不敢想接下来会发生什么。

轰！

似乎有点儿不对劲。

我睁开双眼，巴格其勒并没有打算消灭我，伴随着射出来的光束似乎还有别的东西。天哪！那是一个装备包，正在半空中打转。巴格其勒随即瞄准埃里克又是一炮。

轰！

我俩怔怔地站在原地，完全不知道这是怎么回事。巴格其勒示意我们拿上装备包，却没有得到任何回应。

就这样僵持了一会儿，它按捺不住朝我走了过来，一下子把装备包甩到了我的胸口。

叮咚！

伴随着清脆的声响，装备瞬间完成安装。我的眼前出现了一块类似屏幕的东西，上面有几行大字。

错误报告：经验值不足

所需经验值：475

目前经验值：0

漏洞修复：装备包

新经验值：475

字逐渐消失，随即我眼前又出现了新的数据：左上方是生命值，右上方是经验值，下面还有一把剑。为什么会有一把剑？我低头一看，自己手里真握着一把剑。

"真是太酷了！"埃里克喊着抓过眼前的装备包。

但是，接下来发生的事情一点儿都不酷——一只喷着火的翼龙从悬崖下面飞了上来。

听我说，我知道你读到这儿心里想的是什么。

"那根本不是什么喷着火的翼龙，你连这个都分不清，那绝对是一条喷火龙！"面对质疑，我只有两句话要说。

首先，你才分不清呢！其次，飞上来的绝对是一只喷着火的翼龙。

我当然知道没有能喷火的翼龙，但是现在它就在我面前。我清清楚楚地看到了它，而你又没在现场，根本没有发言权，快闭嘴吧！

看着面目狰狞的翼龙，我和埃里克同时把目光投向了巴格其勒，指望着它能做点儿什么。但是，巴格其勒根本不打算帮我们，它冲我们挥了挥手，好像在说"拜拜"。然后，它就凭空消失了，只有地上那个蓝色的圆形印记证明它曾经来过。

"咱们该怎么办啊？"我大喊着。与此同时，翼龙向后一跃，冲我喷出一个火球。好在我及时发现，滚到了一边，但脚还是碰上了燃烧的火苗。霎时间，一阵剧烈的疼痛从我的脚向全身蔓延开来，我的生命值也跟着下降了一些。

"让我来对付它！"埃里克跳到前面来护住我。他紧紧握住剑柄，使尽浑身力气把剑当作标枪扔了出去。

可惜的是，埃里克的技术不怎么样。剑直接从翼龙身子下面四十厘米左右飞了过去，连边都没擦上。翼龙很疑惑地看着埃里克，不知道他用的是什么招式。最糟糕的是，这么做不仅没能阻止翼龙的进攻，埃里克的武器还掉下了悬崖。

"埃里克！"

"我也不知道会这样啊！"他绝望地喊着。

"看看你的装备包里还有什么！"

埃里克赶紧把装备包放在地上，开始翻里面的东西："我有一双靴子、一个笔记本、一块蛋糕……"

"小心！"

翼龙如疾风般腾空而起，喷出的火焰形成了一道火墙。眼看着火就烧过来了，我赶紧缩成一团。这时候，埃里克似乎从装备包中拿出了什么。我闭上双眼不敢直视接下来的惨状。奇怪的是，我虽然能感觉到热浪扑面，但并没有被灼烧的痛感。

"哇！太棒了！"埃里克欢呼起来。

我这才睁眼，只见埃里克手持盾牌，把翼龙喷出的火焰都反射了回去。翼龙猝不及防，惨叫着扑扇了几下翅膀，最后还是跌倒了，被自己喷出的火焰烧成了黑色。

埃里克冲我点了点头："你来了结它吧。"

"拿什么了结啊？"我看向自己手中的剑，"等一等，它都这样了，难道还要来上一剑吗？这也太残忍了，我做不出这种事情来！"

"别犹豫，咱们必须消灭它！"

翼龙抬头看向我们，眼睛里充满了愤怒。它微微晃了两下身体，似乎想站起来继续和我们搏斗。

我紧皱眉头。有没有其他的办法呢？我轻手轻脚走到翼龙身边，想引它到悬崖边。（为什么我可以接受把它推下悬崖，却不愿用剑了结它呢？这一点我也没有想通。）

"来啊，老伙计，过来啊！"我试着用剑去捅它的腿，让它站起来。我无意间用剑刃划过翼龙的翅膀，它瞬间化为一团蓝烟，消失在我的眼前。"天哪！真对不起！"我冲着蓝烟表达着内心的愧疚。

叮咚！

我的经验值一下子涨到了477。

"太棒了！"埃里克欢呼着，"我本来觉得到处找那个叫马克曼的家伙真是件苦差事，没想到这游戏也太有意思了！这喷火龙……"

"这是翼龙，不是喷火龙。"

"……武器也都超级酷炫，巴格其勒居然也来帮助咱们，还给了咱们装备！"

埃里克这句话让我陷入了沉思。巴格其勒不是要消灭我们吗？一个想法慢慢地浮现在我的脑海里。"难道说，这回巴格其勒负责帮助我们？"

"你说什么呢？"埃里克满嘴都是蛋糕，含含糊糊地问着。

"你想想看，巴格其勒的任务是消除系统漏洞，对不对？咱们现在已经不是漏洞了，因为这个系统就是为了全人类而设计的。但是，咱们来到这个星球，却没有经验值分数，这就是系统漏洞。"

"那是'经验值'，不是'经验值分数'。"埃里克边纠正我边把最后一点儿蛋糕放到嘴里，"经验值就已经代表一个数值了，你再加上'分数'两个字显得特别菜。没有哪个游戏玩家会说'经验值分数'。"

我冲他翻了个白眼，继续说道："巴格其勒发现咱们经验值不足，为了修补这个漏洞，给了咱们装备包。"

埃里克舔着手指上的糖霜说："巴格其勒帮了咱们这

么多，说不定它也能帮咱们找马克曼。"

我耸了耸肩，这不失为一个好办法。

"好了，咱们出发吧。"埃里克说着从装备包里掏出一根特别大的球棒，难以想象这东西是怎么塞进包里的。

"要是碰上霸王龙，我就给它一棒。"

在接下来的六个小时里，我和埃里克始终穿梭在恐龙世界中。我们并肩作战，打败了霸王龙。我们也遇到了一群迅猛龙，它们看起来和《疯狂怪兽》里面的迅猛龙差不多。埃里克曾试图把一只小蜥蜴当作宠物带在身边，小蜥蜴虽然可爱，却总想咬他，最后他只能打消这个念头。我们升级了武器装备和战甲，经验值也一路飙升。就这样，我们披荆斩棘，在一座山的山顶发现了一台大冰箱。

04
终极战士挑战

　　"说不定又有蛋糕吃啦！"埃里克高喊着，冲着那台又大又干净的铁皮冰箱奔了过去。

　　"等一下！"我皱着眉头阻止道，"里面会不会藏着一条喷冰龙？"

　　"刚才你不是说那叫翼龙吗？"

　　"刚才那就是只翼龙，但冰箱里的龙应该就是真的龙。"

埃里克瞥了我一眼，抓住冰箱把手："准备好了吗？"

我拉开弓，用燃烧的箭瞄准冰箱门，冲埃里克点了点头。

埃里克猛地打开冰箱门，霎时间，大团的雾气从里面涌了出来。我放下了弓箭。"我的天哪！"

这根本不是什么冰箱，里面是空的。准确地说，里面的地板、墙壁，以及房顶都是屏幕。

"这是什么啊？"埃里克说着走了进去。

"你们好！"那个电梯里的女声亲切地问候着。突然又听到她的声音，可把我吓了一跳。"请确定所有人员进入传送舱，并关闭舱门。"

随着传送舱的舱门——也就是刚才说的"冰箱"的门关闭，里面的灯都亮起来，我们正前方的大屏幕上出现了一张女士的脸。她僵硬地笑着，我想如果去网上搜索"女机器人长什么样子？"，一定能看到她的照片。她皮肤白净，眼睛一眨也不眨，看上去有点儿诡异。为什么所有机器人看上去都这么冷冰冰的，就不能把人脸设置得亲切随和一点儿吗？

"欢迎来到量子跃迁传送系统，从这里你们将开启欢乐刺激的鲁本宇宙之旅。"屏幕上的女士说，"这里是由超级终极战士——马克曼·鲁本倾情打造的自由星球传送舱。你们现在所处的星球是侏罗纪星球，这是一颗战士专属的星球。接下来，你们希望获得什么样的体验？"

屏幕上女机器人的脸消失了，取而代之的几十个按键，上面分别写着"农民""商人""娱乐""战士""研究""恐怖"等。埃里克见状，二话没说就按下了那个写着"娱乐"的紫色按键。

"咱们没时间玩了！"我抱怨道。

"嘘，我这是在做实验。"

"娱乐。"女机器人说，"在冥王星系中，娱乐星球的选择如下。"

屏幕上出现了上千个紫色按键，与娱乐有关的星球有那么多。不仅我们眼前的屏幕上有按键，连两边的屏幕上都布满了按键，有面粉袋滑行星球、水槽世界、失重碰碰车区，甚至还有美洲驼之地。

"天哪，我喜欢美洲驼！"埃里克说着就要去按。

"快停下来！"我先埃里克一步，按下了"返回"按键，不然我们就要到宇宙中最大的美洲驼园去了。

"接下来，你们希望获得什么样的体验？"女机器人重复着。

"我们想见到马克曼·鲁本。"我说。

"你们希望一睹超级终极战士马克曼·鲁本的风采，对吗？"

"我没说'超级终极战士'，不过差不多吧。"

整个传送舱暗了下来，主屏幕上突然出现了一个闪着红光的按键。

开启终极战士挑战

我和埃里克同时按下按键。

叮咚！

屋子里更黑了，巨大的烟雾从屋顶蔓延下来，闪着红光的按键发出恐怖的呜呜声，让人不知如何是好。

我透过烟雾看向埃里克："我真是讨厌这……"我话还没说完，身体就开始坠落，我感觉心都跳到了嗓子眼了。至少我觉得这是在坠落，好像脚下的地板开了个洞。但是，我眼前一直有红光，周围还烟雾缭绕。差不多过了十秒，刚才那种坠落的感觉消失了，我感觉舒服了一些，周围的灯也亮了起来。这时，只听呼的一声，我们身后的舱门突然打开。我转过身，看到一间明亮的屋子。

"有人在吗？"埃里克喊着，跌跌撞撞地走了进去。
（每次在电子游戏世界中往下掉，感觉就像是在坐转椅，
让人头晕目眩。所以，刚落到地面时，我们根本站不稳。）

"等一等！"我想拦住埃里克，却失去平衡，摔倒
在地。

埃里克走进了那个房间，双手叉着腰说："真没意思，
这里什么也没有。"

我跟了过来，看着空荡荡的屋子，挠了挠头："这里
肯定不会什么都没有，说不定有条暗道……"

"战士们，欢迎你们的到来。"背后的声音打断了我
的话。

我们转过身来，发现门口站着一个人。

没错，就是马克曼·鲁本。

05
暗黑国王的宫殿

　　眼前的马克曼·鲁本穿着长袍，就好像偷穿了《雷神》中演员的服装。我明明记得之前在马克曼投资公司，这个家伙身上是傻里傻气的 T 恤衫和牛仔裤。不仅如此，在电子游戏世界中他强壮了不少，至少比在现实世界中高了十几厘米。总而言之，这么快就和他面对面让我有些措手不及，我只能呆呆地站在原地。

但埃里克却不这样。

"快停下来！赶紧！停止！"埃里克一边喊一边不停地踹马克曼的小腿。但是，他的举动丝毫没有影响这位"超级终极战士"。实际上，埃里克的脚直接从马克曼的小腿上穿了过去。

马克曼笑了："见到我很惊讶吧？真不好意思，让你们失望了，你们看到的不过是我提前录制的全息图，不是我本人。不信过来和我握握手。"

马克曼伸出手，埃里克哪管这些，直接攥紧拳头冲马克曼的肚子打了过去。当然了，他的拳头还是直接穿过了马克曼的身体。这个全息图没有受到一丝干扰，自顾自地继续说着："管理整个鲁本宇宙可一点儿也不轻松，我当然愿意和所有臣民见面了，但是没有这么多时间。"

"好吧，我们真是想见你。"埃里克嘲讽道。

马克曼的眼睛亮了，他说道："作为超级终极战士，我还是有时间和其他战士见面的。只要你们能证明自己也是终极战士，我还将亲自为你们送上一份大礼。要想证明自己，你们需要完成三项挑战。这三项挑战分别是力量挑战、勇气挑战和忍耐力挑战。准备好迎接挑战了吗？"

"准备好了。"我和埃里克无奈地说。

"在开始之前，你们必须了解两个要求。第一，所有的挑战都要两名战士组队参加。"马克曼说着停了下来。我眯缝着眼打量着眼前的全息图，他应该是看不到我们的吧？

马克曼笑着继续说："很好，看来两位战士已经到齐了。第二，真正的挑战需要真正的赌注。不承受失去的风险，就难以体会收获的喜悦。但是在鲁本宇宙中，死亡不过是循环的开始，根本没有风险可言。因此，在这三项挑战中，死亡不再意味着重生，也就是说你们只有一条命。"说到这里，他又停了下来，好像是给我们时间消化这些信息。

"所以，我再问一遍，准备好迎接挑战了吗？"

"准备好了。"埃里克重复着刚才的话。

"真的吗？会不会有别的办法找到马克曼？"我低声对埃里克说。

埃里克翻了个白眼："害怕了？咱们肯定没问题。"

我叹了口气："好吧，我也准备好了。"

马克曼兴奋地搓着双手："太棒了！如果一切顺利，

我们一会儿就见面了！"话音刚落，全息图消失了。

"没有过不去的坎儿，别担心了。"埃里克嘟囔着，朝舱门走去。我再次环视这间屋子，希望能找到机关或者暗门。这时，埃里克站在门口冲我喊道："没有过不去的坎儿！快来！"

我赶紧跑过去："怎么了？"

顺着埃里克手指的方向，我看到传送舱中主屏幕上的按键上写着：

"一级终极战士挑战——力量挑战。"

可是，按键旁边还有一个锁的标志，上面写着"经验值 5000"。

"咱们的经验值是多少？"我问。

"你们的经验值总和为 1275。"女机器人回答。

我看了一眼手表，距离鲁本狂欢开始还有 6 天 9 小时 4 分钟。在侏罗纪星球上，我们得花上半天时间，才能涨一点儿经验值。要是按这个速度计算，到了鲁本狂欢的时候，我们可能刚攒够经验值，才开始一级挑战。

"带我们去能多挣点儿经验值的地方。"埃里克说。

"高难度星球展示。"女机器人说完，屏幕上出现很多选项。

面对诸多选择，埃里克没有耐心读下去，直接按下了中间的按键。

"暗黑国王官殿。"女机器人说，"请确认你的选择。"

"确认。"

"什么？不行啊！"我大喊着。

　　*叮咚！*我们又开始向下坠落。呼的一声，我们眼前突然打开了一扇门，里面是一座富丽堂皇的宫殿。

　　"欢迎来到暗黑国王宫殿。"

　　宫殿里，暗黑国王——一位巨人坐在巨大的宝座上。我还是第一次见这么大的宝座，也是第一次见到真正的巨人。暗黑国王皮肤上布满鳞片，双眼漆黑，看上去像恐怖片里的妖怪。在你小时候要是电视上播放这种镜头，你妈妈肯定会跳过来捂住你的眼睛，以免你被吓坏了。

　　"你为什么要选暗黑国王啊？"

　　"放轻松，咱们没问题的。"

　　暗黑国王站了起来——他看上去足足有六七米高。他用手指向埃里克，刺耳的小提琴声开始在宫殿中回荡。我赶紧捂住耳朵："咱们有麻烦了，有大麻烦了！"

　　埃里克拿出反射盾牌，冲我挤了挤眼睛，然后冲暗黑国王叫嚣着："放马过来吧！"

　　埃里克话音刚落，只见暗黑国王的手指间射出一道黑光，埃里克和他的盾牌瞬间消失了，地上只留下一摊黑色的泥浆。不过，埃里克很快就复活了，这回他没用盾牌，而是手握宝剑冲了过去。"啊啊啊啊！"

刺刺刺！

地上又有了一摊黑色的泥浆。

暗黑国王不再理会埃里克，他用手指向地面，霎时间地面变成了泥浆，四处燃烧着熊熊大火。我尖叫着想逃，好穿过舱门回去。

埃里克很快又复活了。"有我呢！"他说着跳到了泥浆里。我无助地四处捶打着，生命值越来越低，直到暗黑国王出手结束了我的挣扎。

刺刺刺！

再次复活后，我做的第一件事就是关上了传送舱的舱门，然后试图制止埃里克。那家伙还在装备包里找武器，妄想回去解决掉暗黑国王。

"嘿！"

"怎么了？"

"别犯傻了！"

"没关系，你看你不是也复活了吗！"

"咱们的武器和经验值都不够，不能和他对决！"

"进入暗黑国王的宫殿需要 1000 经验值。"女机器人突然插话。

"听见了吧？"埃里克沾沾自喜地说，"咱们经验值不少呢。"

但是，女机器人还没说完："当前你们的经验值总和为 399。"

06

忍者和坏蛇星球

"你说什么？"埃里克大喊。

我看了一下自己的经验值，只剩下319了。刚才进入暗黑国王宫殿之前，我的经验值还是现在的2倍。"你的经验值还剩多少？"我问埃里克。

"这上面显示我还剩80，肯定是搞错了。"

我计算了一下："这么看，咱们每损失一次生命，就会失去一半的经验值。你刚才死了3次，应该就剩80了。"

"没有过不去的坎儿！"

"咱们是不是应该换个策略，先保住经验值再说？"我问。

埃里克有些闷闷不乐。

"女士，能不能带我们去一些容易获胜的星球？"

"低难度星球展示。"女机器人说完，屏幕上又出现了很多选项。

我看了一遍屏幕上的选项，最后按了位于右上方的按键。

"天哪，不是吧。"埃里克抱怨着。

叮咚！下坠！开门！

"欢迎来到武器都是木头剑的菜鸟星球。"女机器人欢快的声音传来。

我和埃里克走进大门，眼前是一望无际的沙漠。还有一支木剑大军围着我们。木剑大军的士兵看上去傻乎乎的，很多人连剑都拿倒了，在沙漠上跌跌撞撞地转圈。我和埃里克手握蓝光宝剑不停厮杀，木剑大军很快就被我们消灭了。可惜这些士兵战斗力太低，消灭一个士兵我们只能增加 0.0001 的经验值。

还有一个长得很丑的人一直拿鞋敲我的脑袋——他连木头剑怎么用都不知道。"咱们不能在这儿浪费时间了。"我忍无可忍地说，"你来选下一个星球吧！"

"荣幸至极！"埃里克说着跑回传送舱，开始浏览其他低难度的星球。

经过一番思考，他终于确定了。"就它了！"

我瞥了一眼他选的按键，一股恐惧向我袭来。"绝对不行！你想什么呢！"

"准备出发去……"埃里克说着就要按下按键。

"不要啊！"

"咱们下一站是……"

"快停下来！"

埃里克瞪了我一眼，自顾自按了下去。

叮咚！下坠！开门！

"欢迎来到狼蛛世界。"

我看了一眼门的那边，吓得尖叫起来。这比我想象的还糟糕，我原本以为这里到处都是狼蛛，但实际上，这里到处都是一种奇怪的生物，它们看上去是狼和蜘蛛的结合体，却比这两种动物都可怕。随着大门的打开，所有怪物都躁动起来。

"快关上门！"埃里克大声呼喊着女机器人，"现在赶快关上！"

在这之后，我俩终于达成一致，在两个人都同意的前提下才可以选择新的星球。

在海盗星球的战斗中，我俩慢慢找到了状态。在这六个小时的战斗中，我们举着剑和那些装着木头假肢、口臭、到处找宝藏的海盗们周旋，不自觉也跟着哼起了"嗨哟嗨哟"的海盗歌。这段经历是如此刺激又快乐，以至于接下来的时间里我们一直在海盗主题的星球积累经验值。

这里居然有加勒比海盗星球（就和德普主演的电影一样，可惜这个星球也就一开始有意思，后来越来越无聊）、海盗王星球（这个星球大概是为了吸引年轻人而设计的，里面像酒吧一样，有灯球，还有打碟的海盗）、海盗宠物星球（我们在这里没赚到多少经验值，不过倒是见到了不少可爱的兔子海盗，它们都戴着眼罩），以及炮弹飞驰之地（这个最让人失望，我们进去之后才发现这个星球既没有海盗，也没有飞驰的炮弹）。

我们就这么一点儿一点儿地攒经验值，虽然速度不快，但是增长得很稳定。此外，我们在冒险过程中也有了一些心得。

一、不管我们往装备包里塞多少东西，包都不会满，也不会变得很沉。有那么一段时间，我在里面放了二十三把不同的剑（其中四把还能发射火焰）、一双铜制战靴、一只铁拳套、一只磁铁手套、四种炸弹（包括传统的手雷、TNT 炸弹、闪光弹和爆炸飞镖）、一支能让敌人进入昏睡状态的神奇口琴、一把能召唤火雨的小号、七套战甲、一台火焰喷射器、一辆悬浮车，还有一个冰激凌蛋糕。

二、说到蛋糕……在鲁本宇宙中，吃蛋糕能提升生命值。这就是科学啊，多吃蛋糕真好！

三、鲁本宇宙没有夜晚，至少没有地球上的那种夜晚（我想，在暗黑国王的宫殿里，一定只有黑夜没有白天吧？）。毕竟在这儿不用睡觉，晚上也没什么意义。我和埃里克在不同的星球间打斗、穿梭，整整三天时间，却没有丝毫倦意。

下面，请允许我简单介绍一下我们踏足的星球。

蹦床星球

我超级喜欢玩蹦床，而且我总跟别人说，等以后长大挣钱了，我首先要给自己买一个蹦床。但是，蹦床星球给了我重重的打击。我在那儿蹦吐了两次，还把脚卡到了弹簧里。蹦床也是有危险的。

小人国

在小人国里，我们算是巨人了。这里的一切都那么迷你，那么可爱。我们还不小心切开了一座房子，以为那是个百宝箱。我们至今都心怀愧疚。

巧克力星球

在这里的时光绝对是我们这趟旅行中的至暗时刻。乍一看，你会以为这个星球就像一个纸杯蛋糕，这么想可就大错特错了。当然，这里有纸杯蛋糕，有好多好多纸杯蛋糕。但是，这个星球一点儿也不简单，简直就是充斥着巧克力的噩梦之地。这里有巧克力熔岩怪、巧克力吸血怪和巧克力流沙。在这里，埃里克丢了不少经验值。都怪他太嘴馋，他吃了恶魔的蛋糕后就爆炸了。

令人作呕的贪吃怪星球

在这里的时光是我们这趟旅行中的另一个至暗时刻。我们没有在这儿待太久，因为经过一番侦察，这里似乎没有什么赚经验值的机会。我们一到这里，就能听到有人咕嘟咕嘟地喝汤，还有一个一直张着嘴吃东西的怪人始终跟着我们，怎么也消灭不了他。我想这个星球肯定是为了惩罚人而设计的，比如在鲁本宇宙做了坏事的人就得被关在这里。

忍者和坏蛇星球

好在踏足这里之前，我俩饱餐了一顿，提升了生命值。踏上这个星球刚刚 35 秒，我们就被攻击了 297 次。我奋力挥舞着手中的剑，声嘶力竭地喊着："这群家伙是从哪里冒出来的啊？"

"这群坏家伙！"埃里克吼着。

我们自知应付不过来，且战且退，回到了传送舱里。此时，我俩都上气不接下气，并且生命值只剩下 2% 了，赶紧分了一个蛋糕以找回力量。

"咱们下次能不能去一个简单点儿的星球？刚才光挨

打了，一个敌人都没消灭。"

埃里克瞪大眼睛对我说："我想，咱们肯定也让敌人吃不消了。"

我转过身来，看到两行闪着绿光的字：

恭喜你们！成功晋级！

经验值：5000

07
背水一战

我咔咔掰了几下手指，看了看表。还剩 3 天零 6 小时。

"咱们没问题的！"埃里克说着，按下了"一级终极战士挑战——力量挑战"的按键。

"关闭重生系统。"女机器人警告着，"请问是否要继续？"

"当然了。"我故作镇定地说，声音却在发抖。

叮咚！下坠！呼呼呼。

我们来到了一座悬浮在空中的钢铁竞技场，圆形的场地直径差不多有三十米，下面深不见底。我们刚走进竞技场，舱门就消失，这意味着我们不能后悔了。我喘着粗气，戴上了铁拳套。埃里克则从装备包里拿出一台火焰喷射器："准备开始吧！"

他刚说完"开始"，竞技场内就出现了四个小精灵。（我也不知道"精灵"这个词用得对不对，因为眼前的丑家伙都是绿色的，它们有着尖尖的耳朵、大大的爪子，没有鼻子。这算是精灵吗？对这些神奇生物我没有什么研究，也说不准这是什么。）

埃里克没有丝毫犹豫，直接用手里的火焰喷射器向小精灵喷出火焰。四个小精灵发出刺耳的尖叫，然后就消失了。

"你就这么点儿本事啊，马克曼？"埃里克喊着。

"成功击退第一波攻击。"云朵后面传来了女机器人的声音。

"第一波？"我问道，"一共有多少波攻击啊？"

"三百波。"

"啊啊啊啊！"我和埃里克同时惊呼起来。又出现了六个小精灵。埃里克一边尖叫，一边用同样的方式消灭了他们。

"成功击退第二波攻击。"

埃里克还是叫嚷着，但是他现在的声音听上去并不惊恐，更像是一位视死如归的战士的嘶吼。又有十个小精灵被烤焦了。

"成功击退第三波攻击。"

看着喘着粗气的埃里克，我问道："咱们是不是先别用火焰喷射器？"

又出现了十二个精灵和一个小矮人。（当然了，这可能不是小矮人，难道这是小妖精？）

呼呼呼呼呼呼！

"成功击退第四波攻击。"

"为什么不用？这可是咱们最好的武器。"

六个小精灵和五个小矮人出现在我们面前，其中一个小矮人还举着一把剑。

呼呼呼……

埃里克刚消灭完小精灵，火焰就用完了。

"就是因为这个。"

我用铁拳头消灭了剩下的几个小矮人。接下来的十七波攻击都被埃里克挥剑压制了下去。他选了一把特别长的剑，都可以用来做撑竿跳了。到了第二十二波攻击的时候，埃里克明显失去了耐心。他闭上眼睛挥舞着剑，根本不看接下来的敌人是谁。就在这时——

咔嚓!

埃里克立刻睁大双眼，他用长剑把一个岩石怪砍成了两截。

"嗷嗷嗷!"

我用铁拳套疯狂捶打着岩石怪。咔!

没错，岩石怪毫发无伤，但是我的铁拳套却坏了。

岩石怪把目标转向我。"救命啊!"我大喊着想要逃跑，"救救我，啊啊啊!"

埃里克从装备包里掏出一把像雷神的铁锤一样的锤子，把它扔向了岩石怪，一下就把岩石怪砸成了无数块碎石。

"成功击退第二十二波攻击。"

在接下来的三个小时里，我们和所有你能想到的奇怪生物展开了对决——喷火龙、半人马，甚至还有会发射激光的独角兽，并且这激光还是从它们的蹄子里发射出来的。（你肯定觉得独角兽应该用角攻击，对不对？错了！这不过是它们的障眼法。你如果藏在独角兽后面想要躲过攻击，反而会被它们的蹄子发射出的激光伤到。）

慢慢地，我们的武器越来越少。在抵御第五十九波攻击的时候，我们用完了最后一支带火的箭。在抵御第七十四波攻击的时候，冰箭也没了。第八十八波攻击中，闪电怪消耗了我们整整四把光剑。在第一百三十二波攻击中，一个穿着铠甲的骑士击碎了我们的巨锤。我们的处境越来越艰难，好不容易挺到了第二百二十三波攻击。

"给我吃口蛋糕！"我的肩膀被一个酸性黏液球击中了，我必须赶紧补充能量。

"我已经没有了！"埃里克一边和一个挥着斧头的蟾蜍怪决斗一边说。

"我知道你没有巧克力蛋糕了。我现在生命值就剩下百分之二十了，得吃块咖啡蛋糕。"

"不是！"埃里克一脚把蟾蜍怪从竞技场上踹下了万丈深渊，"我这儿什么都没了，一块蛋糕都没了。"

"成功击退第二百二十三波攻击。"

我感觉胃一阵绞痛："咱们不可能完成挑战了。"

"我还有百分之七十九的生命值，咱们一定能闯过去。"

"你可能还行，但我只剩下百分之二十的生命值了，挺不过几波攻击了。"

"你先休息一下，"埃里克说，"我罩着你。啊啊啊
啊啊！"

埃里克正说着，身后突然冒出一个棕色的藤蔓怪，
只见那家伙甩着骨瘦如柴的胳膊，缠住了埃里克的腰，
把他举到了十米左右的高空。

"放开他！"我赶紧冲过去，用尽全身的力气挥舞着
手中的剑，想要砍断藤蔓怪。但是，我的剑明显没有怪
物的皮肤坚硬，一下就断成了两截。

藤蔓怪直接把埃里克举到了二十米左右的高空，疯
狂摇晃着他。埃里克的装备包开了，里面的武器散落一
地——这一路上他收集了不少刀具。我赶紧躲开，免得被
天上落下的刀子雨误伤。

"用我的电锯！"埃里克在空中对我喊。

我赶紧朝电锯跑了过去。藤蔓怪怎么可能让我轻易
拿到消灭它的武器。那家伙直接把埃里克当作苍蝇拍，
一下一下拍向地面，想把我压扁。好在我最后滚过去拿
起了电锯，然后就开始重复同一个动作——锯断这个怪
物。就目前情况来看，我必须在三秒内锯断藤蔓怪，不
然他就要放下埃里克来攻击我了。

　　但是，我想错了。

　　藤蔓怪完全不在乎我在做什么。我锯它的腿时，它丝毫没有退缩的意思，反而向后一倾，把埃里克甩了出去。我就这么看着自己的好朋友被甩出了竞技场。

08
第三百零一波进攻

　　我一直觉得自己醒着的时候脑子都不太好使，通常我的大脑在凌晨三点我睡觉的时候是效率最高的时候。当然了，那个时候脑子转得飞快也没什么意义。但是，现在埃里克命悬一线，我的大脑也开始飞速运转。

　　已经来不及锯藤蔓怪了，我直接抓起它，把它当作一根巨大的鞭子。

啪！

经过考古学家星球的长鞭训练，我一下子就卷住了埃里克！或者说，我一下子就卷住了他的装备包。管不了这么多了，我使出吃奶的力气拽手中的藤蔓怪，竟然把埃里克拉了回来。随机我又把藤蔓怪扔了出去。但是，埃里克的装备包就没有那么幸运了，它从埃里克的肩膀上掉了下来，和藤蔓怪一起掉了下去。

"成功击退第二百二十四波攻击。"

我们还没来得及高兴，就又有三个藤蔓怪从地上冒出头来。"咱们接下来该怎么办啊？"

埃里克拿起电锯就开始忙活，只见他满竞技场跑，直接把藤蔓怪扼杀在摇篮里。

"成功击退第二百二十五波攻击。"

"咱们需要一些超级武器。"埃里克说。

"咱们哪里还有超级武器啊。"

就在这时，一只壳上带刺的乌龟出现了，它身上有忍者的标志。埃里克抓起地上的双节棍说："咱们做吧！"

"做一个？像做剪贴簿那样做武器吗？"

"剪贴簿？你开……"

看到忍者龟也拿出来了一副双节棍，埃里克吓了一跳："……开什么玩笑！"

"我妈妈喜欢做剪贴簿，还有胶枪呢。"

埃里克打落了忍者刺龟手里的双节棍，正要出招结果它，却发现这家伙又拿出来两把小剑，真像个忍者一样。埃里克叹了口气，说："在电子游戏世界里，可以把收集的两个装备组装到一起，做出武器来。"

"怎么做呢？"

"你到底听到我说的没啊？"这些愚蠢的问题明显让埃里克不耐烦了。更可气的是，忍者龟还把埃里克的双节棍打成了两段。

"我是说在这儿该怎么组装物品呢？"

"当前鲁本宇宙禁止组装武器。"空中传来女机器人的声音。

"没有过不去的坎儿！"

总之，我俩还是找到了组装武器的办法——也算是组装吧。我们把自己装备包里的武器都倒了出来，竞技场中央摆满了我俩收集的武器。接下来，我们见招拆招，根据出现的敌人来选择武器。举个例子，第二百四十一波攻击的敌人是个超大的果冻泡泡怪。如果我直接冲那个家伙扔一个炸弹，炸弹就会被它的身体弹开。但是，如果我把炸弹扔向埃里克，他再用球棒把炸弹冲怪物打过去，炸弹就会变成一艘腾飞的小火箭，冲击力大大变强，能打到怪物身体里，把它炸成碎块。我们就这么发明了本垒打炸弹！

在第二百五十四波攻击中，我们成功做出了巨型忍者飞轮。埃里克拿着两把剑，我戴上磁铁手套把他转了起来，就像我举着一个超级大的飞轮，从竞技场这头杀到那头。在第二百六十一波攻击中，我们发明了空中飞刀。说起来也是个巧合，我们做了个简易的弹射器，埃里克拿着飞刀坐在一端的时候，我穿着铜制战靴正好踩上了另一端，就这样他被弹射到了空中。埃里克在空中大杀四方，利用自己的绝对优势朝着地上的敌人扔飞刀。就这样，我们击退了敌人的这波攻击。

敌人的进攻越来越猛烈。但是，我俩密切配合，反而变得比刚开始还轻松。"成功击退第二百九十九波攻击。"女机器人提醒着。

想到胜利就在眼前，我和埃里克欢呼雀跃。看到最后一波来袭的怪物，我俩更觉得胜券在握了。居然还是果冻泡泡怪！当然了，这个果冻泡泡怪比之前遇到的最大的泡泡怪还高出十米。但是，我们已经掌握了对付这种怪物的诀窍。我冲埃里克扔过去一个炸弹，他拿起球棒，打出了一个完美的全垒打，把炸弹击到了泡泡怪的肚子里。

轰！

"成功击退第三百波攻击。"

终于赢了，我一下瘫坐到地上。"哇！太棒了！太棒了！"埃里克高声欢呼着，把另一个炸弹朝着高空打了出去，作为庆祝我们胜利的礼炮。

"舱门出现了吗？"我浑身无力，紧闭着双眼躺在地上。

"还没呢。"埃里克回答。

我闭着眼睛深吸了几口气，想要攒些力气，却听见了轰隆轰隆的声音。"这是什么声音？"

女机器人回答："第三百零一波攻击即将来袭。"

"什么？"轰隆声越来越大。我赶紧站起来，跌跌撞撞地冲我们的武器走了过去，套上了离我最近的装备——磁铁手套。埃里克则举起手里的球棒大叫着："放马过来吧！"

轰！

我们左边出现一只巨大的靴子。

轰！

我们右边也出现了一只。既然有靴子，肯定有靴子的主人。我俩同时抬头向上看。眼前的绿巨人再次刷新了我们对巨人的认知——它足足有三十米高，穿着铠甲，装备齐全。

"啊啊啊啊啊！"我们的第一反应只能是尖叫。巨人弯下腰，伸出一只手把我俩都攥了起来，举到他的眼前端详着。埃里克和他对视的那一刹那就平静了下来。"靠近一点儿啊。"埃里克说。他肩上扛着自己的球棒。巨人眯着眼睛，盯着眼前说话的小人。

"你已经有计划了？"我低声问。

埃里克点了点头。"靠近一点儿啊！"他重复着。

巨人真的把我们拿近了，可能是想仔细看看有什么蹊跷。

"再近一点儿。"

巨人把我们举到了鼻子下面，还使劲闻了闻。

"不错！"埃里克说着开始挥动球棒。可惜他没有打到巨人，反而打到了我。

我从巨人手中掉了出来。因为我脚上穿着磁铁战靴，所以我直接被吸到了巨人的头盔上。"这是什么计划啊？"我冲埃里克嚷着。

巨人也很生气，开始咆哮。

"不错！你接着喊啊！"

"你的计划就是冲着他喊吗？"可惜，我还没来得及了解埃里克的计划，巨人就开始冲我挥拳了。来不及多想，我脱下磁铁战靴，跳到了他的大耳朵里，然后使劲抓住他的一根耳毛，就像抓住了救命稻草。

巨人又咆哮起来，他使劲晃着脑袋，就像我们耳朵里进水的时候做的动作一样。我抓着他的耳毛一直爬到了他的耳道深处。整个过程中我都努力控制着自己不去想这里有多恶心。

"啊啊啊呀呀呀！"我大声叫喊，同时在巨人耳朵里拳打脚踢。难道这样我就可以打败这个巨人了？谁知道呢——但是，我相信自己肯定是历史上用这个方法和巨人战斗的先驱。

这么僵持了一会儿，突然，巨人的耳朵倒向了一边，我感觉自己进入了失重状态，赶紧从巨人耳道里探出头，想看看是怎么回事。原来，我们在往下坠——往竞技场下面的深渊中坠落。

09
错误报告

"埃里克！"

"嘿！我在这儿呢！"埃里克从巨人的鼻子里冒了出来，他肯定是趁着巨人坠下去的时候跳进了巨人鼻子里。他冲我竖起了大拇指："真棒啊！你把他给打倒了！"

"咱们就要摔个粉身碎骨了！"

"不会的，咱们不会有事的。"

我向上看了看，竞技场已经在很高的地方了。

"咱们肯定完了！"

埃里克挑了挑眉毛："跟上我。"说着，他就从巨人的鼻孔中跳了出来。

我也从巨人的耳朵里跳了出来，希望埃里克能有点儿什么绝招，让我俩能飞起来。但是，这只是我的痴心妄想。我们还是继续往下掉，只不过在巨人上面，比巨人坠落的速度慢一些。我感觉自己的肺都要喊炸了，埃里克却一脸得意，笑得合不拢嘴。我低头看向下面的巨人，浓雾已经将他吞噬了。眼看我们也要被浓雾包围了，周围的一切突然都消失了，取而代之的是刺眼的强光。

呼呼呼！

我们回到了一开始遇到马克曼的那个白色房间。

埃里克张开双臂，一脸得意："怎么样！"

"但是，但是，这怎么可能呢？"

"在这种电子游戏里，只要对方先玩完，你就赢了。"埃里克解释说，"差一毫秒也是差距。"

"干得漂亮！"另一个声音传来。

我们循声望去，是马克曼·鲁本。

埃里克立刻大步走了过去。"你这个家伙，居然不提前告诉我们！"说着，他举起拳头冲着马克曼的全息图一顿乱打。

马克曼笑了："真抱歉，我没提前说明还有最后一波攻击。但是，哪怕胜利近在咫尺，真正的战士也不会有丝毫松懈。"

"对，哪怕有个坏人乱改游戏规则。"埃里克抱怨着。

马克曼伸出双手，手中顿时出现了两座奖杯。但是，我和埃里克谁也没有心情去拿。"刚才的挑战证明你们力量强大，但仅凭这一点你们还不足以成为合格的终极战士。"马克曼说，"力量再强大的人，如果没有勇气做出正确的选择，还是会失败。你们是否具有终极战士的勇气呢？我看好你们。"

"谢谢你，大坏蛋。"

全息图中的马克曼笑了笑又消失了。与此同时，我们的装备包再次出现在眼前。我看了看里面，什么装备都没了，只有刚才那座没用的奖杯。这时候，传送舱再次出现在我们身后，女机器人带着自己标志性的声音回来了："接下来，你们希望获得什么样的体验？"

"该开始勇气挑战了吧。"埃里克说。

"很抱歉，经验值 15000 才能开始勇气挑战。"

我看了一眼手表，还剩下 2 天零 23 小时。我只能无奈地摇了摇头："没办法，咱们需要新的武器装备。"

埃里克点了点头表示认同，然后张嘴就说："女士，带我们去侏罗纪星球。"

"等一等，为什么还要去那儿？"

叮咚！下坠！开门！

"欢迎来到侏罗纪星球。"

"我太喜欢那根球棒了。"埃里克边说边迈出了舱门。

"那是个可怕的武器。"

"但是我喜欢。"

我好像听到了什么声音，赶紧停下了脚步。

"我知道你肯定会说时间不够了。"埃里克还是自顾自说着，"杰西你要相信我，咱们……"

我赶紧用手捂住了埃里克的嘴，拽着他躲到一棵古老的蕨类植物巨大的叶子下面。埃里克挣扎了几下，直到他也听到了什么声音，才安静下来。

这是一个男人说话的声音。

"你是说，没有人知道为什么会出现漏洞吗？"

这是马克曼·鲁本的声音。

我和埃里克吓得缩成一团，透过叶子的间隙，可以看见马克曼和两个西装男走了过来。很明显，这回走来的是真正的马克曼。虽然他还是那么趾高气扬，穿着的斗篷和雷神的一样，但是这回我们明显能看见斗篷里面那傻里傻气的 T 恤衫，并且 T 恤衫还扎到了牛仔裤里。

"我们还在调查。"其中一个西装男解释道。

"但是，你早就知道有个人从外面闯进来了，不是吗？"马克曼问，"不然怎么会出现漏洞？"

"很有可能，长官。几天前，我们收到了巴格其勒的警报……"

"到底几天前？"马克曼突然打断了西装男的话。

"三四天前。"

"四天前？"

两个西装男面面相觑。

"是的。"另一个西装男说，"这确实有点儿久了，但是系统诊断也需要时间。"

"我知道系统诊断需要多久。"马克曼说。

"您当然知道，但是……"

"你该喊'长官'！"马克曼又打断了他的话。

"是的，长官。对不起，长官。但是我们，嗯……我们没有意识到这件事这么重要，没敢打扰您。"

"我必须再次提醒你们，"马克曼的语气让人不寒而栗，"现在不是在地球上，这里的一切都是我说了算。明白了吗？"

两个西装男都不敢吱声了。

"你们记住了吗?！"

两个西装男赶紧一起点头。

"只有我能决定什么事情重要、什么事情不重要，你们没这个权力。"

"是的，长官。所以，我们马上来和您汇报了。"一个西装男附和道。

"四天是马上吗?"

那个西装男沉默了。我们看见马克曼用手指着他，他突然睁大眼睛、张着嘴，开始用手去抓自己的喉咙。马克曼又转向另一个西装男，问："他叫什么名字?"

"奈、奈吉尔，长官。"

"我刚刚剥夺了奈吉尔呼吸的权利，你觉得他想要重新开始呼吸吗？"

奈吉尔疯狂地点着头，另一个西装男满眼恐惧，一时说不出话来。

"你觉得他是不是现在就想呼吸？"马克曼过去搂住了奈吉尔的肩膀，"没关系的，奈吉尔，我马上就让你呼吸。咱们四天后就开始怎么样？是不是这个道理？"

另一个西装男面色惨白。

"现在赶紧告诉我，为什么不马上向我汇报！"

"太对不起了！天哪，真是太抱歉了，这都是我的错，都怪我。巴格其勒的报告中显示系统漏洞已经修复，我以为没事了，就告诉奈吉尔先别上报。这当然不是我应该做的决定。这一切都应该听您的，伟大的超级终极战士。求求您了，放过奈吉尔吧！"

马克曼满意地点了点头："谢谢你的坦诚。"他打了一个响指，奈吉尔开始大口喘气，应该是可以正常呼吸了。

但是，马克曼没有善罢甘休的意思，他转向了另一个西装男。这回马克曼既没有伸手也没有说话，他只是看着他。另一个西装男吓得一动也不敢动，呆呆地看着马克曼。渐渐地，这个人脸上没了血色，身上也开始出现了裂缝。原来，这个人不是不敢动，是不能动了。在短短十秒内，他的整个身体都变成了灰色的，脆弱得似乎经受不住轻轻的触碰。

但是，马克曼偏要试试。

他走到这个人跟前，盯着他的眼睛狠狠地说："记住，在这里都得听我的。"然后，他伸出手指轻轻一戳，这个人立刻成了碎片。

马克曼再次转向奈吉尔，说道："从现在开始，任何系统漏洞直接向我汇报，明白了吗？"

奈吉尔浑身发抖，一句话都说不出来。

处理完这些，马克曼按了按手表上的几个按键，随后，他整个人变得越来越模糊。这时，灌木丛中突然窜出来一只霸王龙，冲着马克曼嘶吼起来。他看也没看，只是打了一个响指，霸王龙就像气球一样越来越大，然后爆炸了。马克曼则变成一道光消失了，留下惊慌失措的奈吉尔，他跌跌撞撞地跑到了丛林里。

10
小豆豆

　　看敌人都走了，我和埃里克赶紧跑回传送舱内。我们一改嘻嘻哈哈的常态，准备严肃对待接下来的任务。说句实话，进入鲁本宇宙以来，我俩已经很谨慎了。当然了，和海盗对决着实有意思。现在亲眼看到马克曼的所作所为，我们打起百分之二百的精神。在接下来的五个小时里，我和埃里克在不同星球上闯关，以疯狂的节奏收集武器，同时赚取经验值。经过力量挑战之后，我俩在打击敌人方面颇有心得，几乎没费什么力气就把它们都解决了。中间有一个小插曲，就是我俩一时被胜利冲昏了头脑，又想去暗黑国王的官殿里赚取经验值。结果可想而知，我们很快就被干掉了。好在接下来一切顺利，我们很快又攒够了 10000 经验值。

再次回到传送舱的时候，我俩重新找回了自信，踌躇满志地按下了"勇气挑战"的按键。

"关闭重生系统。"女机器人发出警告，"请问是否继续？"

"开始吧。"埃里克说。

叮咚！下坠！开门！

舱门打开，我发现自己悬浮在一个大金属仓库的中央。我向下看去。毒蛇！这里到处都是吐着芯子的毒蛇。我赶紧转向埃里克："之前遇到困难，你不是总说'没有过不去的坎儿'吗？我希望你不用再说这句话了。希望你不用说了。"

传送舱开始向一侧倾斜。我和埃里克紧紧抓住门框，以免掉到毒蛇堆里。但是，传送舱倾斜得越来越厉害，我们的手也跟着颤抖起来。

更糟糕的是，女机器人开始了倒计时："准备弹出，三、二、一。"

呼呼呼！

传送舱就这么消失了，我们掉到了毒蛇堆里。

"千万别做大幅度的动作。"我警告埃里克。

埃里克缓缓地站起身来，与此同时，他身边的毒蛇也慢慢直立起身体。

"你包里是不是有火焰喷射器？"埃里克问我。

我点了点头，伸手去够装备包。"就在……"我的心突然一沉，"装备包怎么没了！"

埃里克听了也去摸自己的包："天哪，不要啊啊啊！"

伴随着我们的喊声，最大的那条蛇挺起了身子，发出咝咝的声音，冲埃里克的鼻子咬了过去。

"不要啊，别咬我的鼻子啊！"

就在这时，只听一记响亮的响指，大蛇突然僵住了。

"欢迎来到挑战的第二关。"马克曼出现在我们身后。

"又是你在搞鬼？"埃里克说完，冲马克曼挥了一拳。

当然了，这只是马克曼的全息图，毫无疑问，埃里克的拳头直接从马克曼的身体里穿了过去。

"这一关是对你们心智的考验。"马克曼说，"你们是否足够勇敢，能够面对内心的恐惧？能不能在关键的时刻做出正确的决定？"

"我们能跳过这一关吗？"

马克曼笑了："在接下来的一个小时里，你们也许会发现一个不一样的自己。挑战继续。"说完，他打了个响指，大蛇又开始动了。好在埃里克及时躲开，大蛇才没咬到他的鼻子。

一条蛇绕着我的脚踝开始往我腿上爬。我足足盯着它看了二十秒，不停地告诉自己"面对恐惧，面对恐惧"。但是，面对了又能怎么样呢？眼看蛇就要爬到我上半身了。"埃里克，快想办法！"没有人理我。又有一条蛇爬上了我的脚踝。"埃里克？"我转过身，却发现身后没人。"你去哪儿了？"

"往上看！"头顶传来埃里克的声音。

我抬起头，发现他正抓着一条绳子荡来荡去，怀里还抱着个毛茸茸的小东西。"那是只猫吗？"

"快上来！"

趁着埃里克荡过来，我纵身一跃抓住了绳子。

"使劲晃腿！"埃里克指导着我，"像荡秋千一样晃腿！"他怀里的小猫也在向我演示这个动作。

我按照埃里克说的，开始前后晃腿，甩掉了腿上的蛇。我们就这样越过蛇坑，借着绳索的力量朝墙壁中部的平台荡了过去。我先在平台上站稳，又抓住绳索，让埃里克和小猫安全着陆。终于安全了。直到此时，我才有机会问埃里克这个问题。

"这家伙是从哪儿冒出来的？"

"我一抬头，正好看见这个小家伙抓着绳子，在我头顶荡来荡去！是不是令人难以置信？"

是的，确实令人难以置信。"你是说正好有只像人猿泰山一样的小猫出现了？它还正好抓着根绳子，帮助我们逃离危险？"

"这简直就是一个奇迹！"埃里克坐下来开始逗猫："你叫什么名字啊，小可爱？"

小猫喵喵地叫着在埃里克身上蹭来蹭去。我摇了摇头，这太不对劲了。但不得不承认，这只小猫是挺可爱的——大大的眼睛、圆圆的脑袋，简直就像只卡通猫。

"就叫你'小豆豆'吧。"埃里克得意地说。

"小豆豆？"

"是的，小豆豆。你不喜欢这个名字吗？这名字很不错啊。"

"是不错，但咱们不该给这只猫起名字，因为我们不能带着它继续挑战。走廊尽头不知道还会有什么怪物。说不定还会有恐怖小丑，不能让小豆豆跟着咱们冒这个险。"

"这么说你同意叫它‘小豆豆’了？"

"咱们不给它起名字！"

埃里克看向小猫："小豆豆，杰西哥哥想把你留在这个到处都是蛇的鬼地方。你想在这里蜷成一团，等着那群凶狠的毒蛇爬上来吃掉你吗？"

我朝下面看去，那些蛇真的在往上爬，并且就要爬上平台了。"好吧。"我妥协了，"咱们把它带到一个安全的地方，然后就不能再继续带着它了，明白了吗？"

埃里克咧嘴一笑，把小猫夹在胳膊底下，就像夹着一个足球。小豆豆看上去既舒服又享受。"小豆豆是我最乖的宝宝。"埃里克说。

"我真替你们两个高兴。"

我们跳下平台，沿着连接平台的昏暗走廊向前走。走廊顶部每隔三米左右就有一盏灯，灯光诡异地摇曳着，周围的一切越来越模糊。我每走几步就回头看看，生怕有怪兽从后面扑过来。不知过了多久，我们面前终于出现了一扇门。我转向埃里克："准备好了吗？"

埃里克先捂住了小豆豆的眼睛，然后才对我说："准备好了。"

我把门打开一条缝，看了里面一眼，赶紧又关上了。我感觉头晕目眩。

"里面有小丑吗？"埃里克问。

"肯定啊！"我还不敢睁开双眼。

"不可能！"

"当然有小丑了！"我压低了声音，"谁不怕这些小丑呢？"

"说不定里面是一些善良的小丑。"

"他们都举着刀呢！"

"别说了，我知道你在骗我。"埃里克说着放下小豆豆，把我推到一边要去开门。门刚开了条缝，他也和我一样立刻关上了门。埃里克眼睛睁得大大的："我的老天爷啊！"

"咱们怎么办啊？"

埃里克没有回答，只是看着开始沿着走廊往回走的小豆豆。"等一下啊，小宝贝！快回来！"

"嘘！"我示意他小点儿声。

小豆豆听到埃里克喊它，回头看了一眼，速度更快了。

埃里克赶紧追了上去，"你要去哪儿啊？小家伙。"

小豆豆还继续往前走，但是每隔三四米，它就会用爪子摸摸墙面。最后，它在走廊中间停了下来，一下一下用爪子抓护墙板。

"你想要干什么？"埃里克问，"是想来点儿猫薄荷吗？我回去就给你买点儿。"

"它什么都不想要。"我说着走过去，认真检查小豆豆抓挠的护墙板。"它这是让咱们看什么东西。"

埃里克过来敲了敲这块板子。

嘭！嘭！嘭！

声音很大，并且有明显的回声。埃里克又拍了拍旁边的护墙板。

没有回声。小豆豆骄傲地看着我们——它发现了一条秘密通道。

11
昏睡毒气

　　无巧不成书。小豆豆的爪子刚好可以按动护墙板上的机关，机关打开正好是一条密道，密道大小又刚好可以让我们爬进去。接下来更是充满巧合，小豆豆如有神助，带着我们在密道里转来转去。想来这一切似乎过于……容易了。

　　我越来越不安，也试图告诉埃里克自己的想法。"听我说……"

但是，埃里克根本没有时间听我说话，他正忙着和自己最好的朋友聊天呢！"别往那边看，小豆豆，会吓着你的。"

我们爬到了一个通风口，向右看去正好可以看到那个有小丑的房间。"你不觉得这太奇怪了吗？一只小猫居然在咱们最需要的时候出现了，还正好能帮到咱们！"

"天哪，那家伙居然有电锯！别往那边看，小豆豆。"

"喵。"

"这都是马克曼设计的，"我继续说，"难道他没有发现有只猫吗？"

"好了，这回没有小丑了。你可以看了。"

"马克曼肯定知道这里有小豆豆，说不定他是故意让小豆豆来找咱们的。"

"我的天哪，快看，这间屋子里居然都是水！你喜欢游泳吗，小豆豆？我可喜欢——啊啊啊啊！"埃里克的话被水里突然跳出来的大鲨鱼打断了，它用脑袋疯狂地撞击着通风口，真是吓人。

我们赶紧沿着密道向前爬。我尝试继续和埃里克沟通："马克曼可是个超级大坏蛋，要是他故意把小豆豆放在这儿的，那这只猫肯定也有问题。"

"这回房间里又是什么？僵尸！天哪，快闭上眼睛。"

"喵。"

在接下来的时间里，蜘蛛屋、骷髅房、电锯间我们都见识过了。我一直没有放弃劝阻埃里克，但是，他就像听不见一样，完全不理会我的话。最后，我们爬到了密道的尽头。

"现在该怎么办啊？"埃里克问小豆豆。

小豆豆低下头，用脑袋抵住了墙。

砰！

护墙板真是不结实，我们的小猫这么一抵，就给弄破了。又是一次巧合。我们从墙洞里爬了过去，前方居然是一扇大门，上面还写着"入口"两个大字。

"成功了！太棒了！"埃里克欢呼着。我却没有这么兴奋，小豆豆看上去也满脸恐惧。

"没关系的，小家伙。"埃里克安慰它，"我们不会把你留在这里的。"可小豆豆听了这话，似乎更加不安了。

我们打开门，看到一个房间，它和之前我们见到马克曼全息图的房间一样，马克曼似乎特别钟情于纯白的房间。唯一不同的是，这个房间里放着一个小小的笼子。

"有人在吗？"我喊道，"马克曼？"

我蹑手蹑脚往里面走，埃里克抱着小豆豆跟在后面。小豆豆就像一片风中的树叶，身体止不住地颤抖。我们全都进来后，房门砰的一声自动关上了。

"马克曼？"埃里克也跟着喊，"我们已经通过了勇气挑战，你还真是有办法，那些小丑确实够吓人的。好了，能把奖杯给我们了吗？"

嗞嗞嗞嗞嗞嗞嗞嗞！

突然间，房顶似乎裂开了，绿色的气体从中喷涌而出，在房间里弥漫开来。"快出去！"我大声喊。

埃里克使劲拽门，但怎么都拽不开。绿色的气体越来越多，天花板也被遮住了。

"小豆豆，咱们该怎么办啊！"

小豆豆看上去很伤心。这时候，我们面前的白色墙体闪了几下，原来那是一块屏幕。马克曼的脸出现在屏幕上："看来你们交到了新朋友。"

埃里克赶紧把小豆豆藏到身后。

"别担心,我早就知道了。而且我还知道,要想到这里来,离不开这只猫。你们跟着它是很明智的。但是,接下来的选择就需要勇气了。你们也看到了,现在屋里的绿色气体越来越多。这是我发明的特殊毒气,叫'昏睡毒气',专门用来对付游戏中的人。用不了三分钟,屋子里就会充满这种气体,到时候你们就会一睡不起。"马克曼顿了顿接着说,"但是,只要有足够的勇气,你们就可以拯救自己。"

一切都说得通了。怪不得有只超级可爱的小猫及时出现带我们闯关,怪不得房间里有一个小笼子。原来这一切都是马克曼计划的一部分。

马克曼继续说道:"敢于放弃,才能收获更多;敢于牺牲重要的东西,才能成为真正的战士。你们准备好了吗?"

埃里克满脸疑惑地看着我:"他说什么傻话呢!"然后,他又转向屏幕,冲着马克曼说:"你就不能把话说得明白点儿?"

我感觉全身无力,马克曼是什么意思我早就明白了。

马克曼指着小豆豆说:"希望你们还没给这只猫起名

字，不然接下来的选择会变得异常艰难。"

"你别打小豆豆的主意！"

"只要把猫放到笼子里，屋子里的毒气就会消失。"

"我是绝对不会这么做的！"埃里克说。

"埃里克，"我劝说道，"咱们必须这么做。"

他猛地转过头，一脸震惊："你在说什么呢？"

"这不是一只真正的猫咪，只不过是游戏世界里为了博取你的同情专门设定的角色。它就是为了哄骗你，好让你难以决定。"

埃里克抱着猫往后退："你别想动小豆豆一根毫毛。你别碰它。"

我抬头看了一眼，毒气越来越多，已经遮住马克曼的额头了。"这不是真的猫咪，它不需要你的保护。看看它的眼睛。"我继续劝埃里克。

小豆豆抬头看着埃里克，它有大大的眼睛，看起来超级可爱。

"真正的猫的眼睛可不是这样的，它就和动画片里的猫一样。马克曼故意让你这么难受。咱们要想打败他，必须先听他的话闯过这一关。"

埃里克的眼睛里充满怒火。

"也许小豆豆是马克曼设计出来的……"

"绝对是他设计出来的。"

"……那我也不能听他的，我要按自己的规则闯关。"

我开始慌了："你说什么呢！这是在鲁本宇宙里，你当然要按他设定的规则来了！"

嘡嘡嘡嘡嘡嘡！

毒气越来越多。

"呵呵呵！"马克曼不怀好意地笑着，"你们还没有决定该怎么做，这下可有意思了！"

我飞速转动大脑，想找个合适的理由好说服埃里克。"他也不是想伤害小豆豆，"我说，"只不过是先让它到笼子里去，它不会有事的。"

埃里克似乎被说动了，缓缓走到笼子跟前，但很快他又犹豫起来。我焦急地看着毒气蔓延，盘算着我们还剩多少时间。最后，埃里克居然摘下手表扔到了笼子里。

我紧张地屏住呼吸。过了一会儿，什么事情也没有发生，我们这才松了一口气。"看见了吧？没有什么需要担心的……"

咔嚓！

笼子突然长出了牙齿，一下就把手表嚼得稀烂。

埃里克吓得跳了起来："你想让我把小豆豆放进去？"

"我不想，我当然不想，但是……"

"你还是我认识的杰西吗？你就像变了一个人！"

屋子里的毒气越来越多，已经快要遮住我们的头了。

我只能弯下腰说话："不把这个游戏世界里的虚拟动物放进去，咱们就要遭殃了。咱们出了事，拯救地球的唯一希望就没了。难道你忘了为什么要来这儿吗？"

"我知道，我知道，让我好好想想。"埃里克回答。

"没时间纠结了！"

"这里肯定有秘密通道，咱们肯定能逃出去。"埃里克说着，开始满屋子搜索起来。他一只胳膊夹着小豆豆，另一只胳膊到处推，希望能找到什么机关。

我看了一眼不停蔓延的毒气，咬了咬牙给自己打气，然后弯着腰冲埃里克跑了过去，想要把猫抢过来。

"天哪！"

他被我吓了一跳，不自觉松开了胳膊。小豆豆趁机跳到地上，冲对面的墙跑过去。这下糟糕了，我赶紧压低身子去追猫。

嘀嗒、嘀嗒、嘀嗒。马克曼在倒计时。现在，整个屏幕都被笼罩在毒气之中了，但是我还是能听到他的声音。"看来你们还是不够勇敢，真是可惜，我本来很欣赏你们的。这毒气可不一般。"

我紧紧盯着那只猫，它正用爪子挠墙。

"接下来，你们会十分痛苦。"马克曼继续说，"毒气吸到肺里，感觉就像……"

我努力集中注意力，不让自己分心。"快过来，小猫咪。"我趴在地上扭动着身体前进，就像一条蛇。但是，这样行进的速度太慢了，我必须赶紧过去抓住小豆豆。想到这儿，我开始在地上打滚，一下、两下、三下。突然间，我的肺里像着火一般灼热起来。

"埃里克，先别喘气！"我试图警告埃里克。可是我的嘴巴也不听使唤了，说出来的话居然变成了"啊啊啊啊啊啊哇哇哇哇呼呼呼呼呼呼"。我又张嘴想说点儿什么，但只能发出"啊啊啊啊"的声音。我感觉嘴巴越来越麻木，头也晕得不行，肺里很沉很沉。我实在受不了了。就这样，我沉沉地睡了过去。

12
系统过载

噼噼噼噼噼噼噼噼噼噼!

我在一团迷雾中醒了过来。并不是周围有雾，而是我的大脑还没缓过来，只能回忆起之前一些零碎的话语和情景。

噼噼噼噼噼噼噼噼噼噼!

但是，有件事我可以确定……

噼噼噼噼噼噼噼噼噼！

……我全身上下都湿透了……

噼噼噼噼噼噼噼噼噼！

……要是这恼人的噼噼声再不停下来，我就要崩溃了。

噼噼噼噼噼噼噼噼噼！

我使劲摇着脑袋，想让自己清醒一些，好找到这个声音的来源。是手表在响。我眯缝着眼睛仔细看，上面写着"2天零15小时47分钟"——这么看来形势不错，我们进入勇气挑战后只不过昏睡了3小时。但是为什么手表的闹铃开始响了呢？倒计时还没有结束啊。我实在受不了这声音，干脆摘下手表扔了出去。

我醒来的第二件事，就是挣扎着坐起来。埃里克脸朝下趴在房间的另一边。他双手向外伸着，似乎昏睡之前最后的心愿就是抓住我。"嘿！埃里克！"我喊他，但是他一动也不动。"埃里克！"我感觉胸腔一阵刺痛，但还是忍着疼痛跑过去，想喊醒我的好朋友。"埃里克！快醒醒啊！"他和我一样全身都是湿的。我使劲摇晃着他。"醒醒！你快醒醒啊！"

埃里克终于睁开了眼睛。他盯着我看了几秒，张开嘴问道："发发发发发发沙沙沙沙沙？"

"你说什么啊？"

"沙沙沙沙沙啦啦啦啦啦？啊啊啊！哎哎哎！发生什么什么了啊？"

我闭上眼睛，想要回忆一下之前的事情。究竟发生了什么？我们不是应该一直昏睡下去吗？

埃里克站了起来，嘟囔着："为什么这里这么热？"

他不说我还真没注意，这里真的很热，热得不行。等一等，这么说来我们是因为流汗而全身湿透了？我抬起胳膊闻了闻，味道真不怎么样！我们身上全都是汗。

埃里克突然睁大眼睛："小豆豆在哪儿？"

"我想它可能已经不在了。"

"小豆豆！我的小豆豆！"

埃里克激动地爬到前面，冲着墙哭叫："小豆豆，你在哪儿啊！"

"埃里克，我觉得……"我话没说完，我们俩几乎同时注意到了墙上的小洞，洞口大小正好容得下一只猫咪钻过去。

埃里克使劲朝着洞的那边看："小豆豆！"

　　我也挤过去往里看，对面似乎也是一个全是白色的房间。

　　埃里克一把推开我，开始用脚疯狂地踹墙，想把洞口踹得大一些。他还真成功了，这样我们也能钻过去了。"我们来了，小家伙，别着急！"埃里克说着就往里面爬。

　　我跟在他后面，心里十分忐忑，也做好了最坏的打算。事实证明，我真是多虑了，这毕竟是在游戏中。屋子里并没有小豆豆冰冷的尸体——地上只有两座奖杯、一个颈圈和一个蓝色的圆形印记。

　　埃里克捡起颈圈。"它救了咱们，却牺牲了自己。"他的语气中充满哀伤。

　　"你这么想啊？"

　　"当然了，它在墙上抓出来一个洞，毒气才能排出去，咱们才能醒过来。"

　　埃里克的想象力令我十分钦佩，但是话说回来，我也想不出更好的解释，只能选择沉默，给埃里克一些时间跟小豆豆做最后的道别。就这样过了好一会儿，我才去捡地上的奖杯。手碰到奖杯的一刹那，一股热流席卷我的全身，我瞬间回到了传送舱里。

"欢——欢——欢迎回来。"女机器人明显有些结巴,图像也一闪一闪的。

一秒钟之后,埃里克也回来了。

"欢——欢——欢……"女机器人还想问候,却说不出一句完整的话。

"欢什么?欢乐吗?"埃里克没好气地说,"告诉你吧,我一点儿也不欢乐。你知道……"

"女机器人,你出什么事了?"我打断了埃里克。

"系——系——系——系统过载。"

我的胸腔再次隐隐作痛。过高的温度、不停的闹铃、时不时的闪屏——一切都说得通了。这不就是格雷戈里先生所说的问题吗?我绝望地看着屏幕,上面一会儿是女机器人,一会儿是星球按键,时不时还会出现"系统错误"几个字。最后,屏幕终于不再闪了,画面定格在一个星球的按键上,上面写着"贵宾犬星球"。

埃里克看向我,无奈地耸了耸肩,按下了屏幕上的按键。传送舱不像之前那样一片黑暗,而是时明时暗,我感觉自己向下跌落了好久好久。舱门终于打开了。

和想象中的一样,贵宾犬星球到处都是各种各样的贵宾犬：大的像小马一样大，小的像钱包一样小；有的看上去像个粪球，有的还穿着裙子。这里特别热，远方的天空黑压压的，预示着一场暴风雨即将来临。而且，这里没有任何可以赚取经验值的机会。

"咱们来这里干什么？"我问。

埃里克无奈地说："只有这一个选择啊！"

"当时屏幕正在闪，咱们应该……"

"谁在那里？"听口音像是个苏格兰人在大声喊。

我吓了一跳，想着这回完了，肯定要被西装男抓住了。但是，我回过头来却看到一个满脸胡子的老人，他正举着一根树枝当武器。

"您好，我是埃里克，这是杰西。"

"我是怎么到这里来的？"老人说着，朝我们步步逼近。

我和埃里克面面相觑，不知道他的话是什么意思。

"难道要我凿你们的脑袋，你们才能回答问题吗？那就给你们点儿颜色看看！"他说着又走近了一步，举起手里的树枝，这距离正好能打到我们的脑袋。

我赶紧摸了摸后背，谢天谢地，装备包又回来了。

我当然不想和这个人打架，但是要是迫不得已，我也有武器可以用。就在这时，一只小马那么大的贵宾犬窜了出来，一口叼走了那个老人手里的树枝。

"你这是干什么?!"老人冲狗大喊。

那只狗倒是不慌不忙，趴在地上冲他摇着尾巴。趁他还没反应过来，我们赶紧跑回了传送舱，免得他拿树枝来凿我们的脑袋。

"快关上门！"我大声喊。

门关到一半不动了，看上去像是卡住了。我和埃里克用尽全力想把门关上，一边推一边不忘看外面，生怕刚才那个老人追过来。

眼前的景象比脑袋被凿可怕多了——暴风雨以肉眼可见的速度席卷而来，铺天盖地，以至于我们可以清楚地看到天上掉下来的不是雨滴，而是一个个活生生的人。

13
恶魔蛋糕

"已经开始了。"终于关上了舱门，我绝望地对埃里克说。

"什么开始了？"

"鲁本狂欢！"

"什么？"埃里克下意识地看了眼自己的手腕，似乎忘记自己刚才把手表扔到笼子里了。

"我怎么感觉咱们还有两天时间呢！"

"咱们可能睡了整整两天。"

"不可能，我连着睡过两天，醒过来可不是这种感觉。"埃里克的声音透着恐慌，"那现在有多少人到这里来了？难道全世界的人都进来了？"

"两——两——两——两。"女机器人回答着。

"才两个人？真的吗？"

女机器人明显还没说完："两万零四百一十四。"

"啊啊啊啊啊！"

"两万一千六百零七、两万一千九百七十二。"屏幕上的按键越来越多，来到鲁本宇宙的人，落在了下面这些星球上——约德尔牦牛星球、狮虎湖星球、暴躁豪猪星球。与此同时，女机器人还在清点着来到这里的人数："两万两千……"

"快停下来！"埃里克有些崩溃，"咱们该怎么办？该怎么办啊?！"

这时候，屏幕上星球按键都消失了，取而代之的是一个灰色按键。屏幕还在闪，按键时有时无。"忍耐——"女机器人断断续续地说着。按键上面还标有经验值要求：

35000。

事情到了这个地步，我反而冷静了下来。这种坦然是来到这里一周以来从来没有过的。两万两千个人确实不少，但是马克曼想按照计划把全世界的人都装进来，还早着呢。

最后的挑战需要 35000 的经验值，这数字乍一看有些吓人，但是我们有经验，只要一路闯关，就能攒下很多经验值，这一次也一定可以。我们是带着任务来这里的，除非鲁本宇宙爆炸了，不然我一定要完成任务，不到最后一刻决不放弃。

"女士，请告诉我们鲁本宇宙中最难通关的星球是哪些。"

屏幕吱吱吱地响着，出现了许多按键。我冲埃里克点了点头："咱们开始吧。"

在接下来的半个小时里，我们穿梭在这些恐怖的星球中，为进入第三关积累经验值。

叮咚！"欢迎来到军人世界。"

叮咚！"欢迎来到角斗士星球。"

叮咚！"欢迎来到黑洞之心。"

叮咚！"欢迎来到天蝎座——巨蝎之家。"

到巨蝎之家的时候，我们连舱门都没出，就被一只巨型蝎子盯上了。那家伙足有一辆货车那么大，它直接把带刺的尾巴对准了舱门。"快关门！快关门啊！"埃里克大叫着。

舱门关上的时候正好夹住了大蝎子的尾巴。接下来的五秒显得十分漫长，我们惊恐地看着蝎子尾巴在传送舱里晃来晃去，最后它终于把尾巴拽了回去。我弯下腰，双手扶着膝盖，大口喘着粗气问道："咱们现在一共有多少经验值？"

"当——当——当……"女机器人还没说完，我们的经验值就出现在了屏幕上：19475。

埃里克脱下衬衫，说："这里太热了，咱们得加速啊！"

"快穿上衣服，我可不想看你的肚子。"

埃里克拧干衣服上的汗，把它当作头巾扎到了脑袋上，就像电影《第一滴血》中的史泰龙一样，一副毅然决然的样子，对我说："咱们去找暗黑国王吧。"埃里克的英勇和我接下来的反应形成了鲜明的对比。

"去那里干什么？"我问，"上次去你只撑了五秒，这次你打算撑十秒？"

"我现在有了火焰宝剑，你也有那把斧子了。"

"那也不可能打赢他！"

我们汗流浃背地靠着墙，思考着接下来该怎么办。突然间，我有了一个想法："咱们是不是还有从巧克力星球拿来的恶魔蛋糕？"

埃里克翻了翻包："还有三块。"

我激动地搓着双手："太好了！"

"一点儿也不好，吃了这东西你会爆炸的。"

"确实是。"

"咱们必须在解决暗黑国王的同时保全自己，这样才能增加经验值。"

"对，咱们自己不能爆炸，那样就损失经验值了。但是，这里现在有这么多人，经验值对他们来说一点儿用也没有。"说着，我咧嘴笑了起来，等着埃里克夸我想到了好点子。但是，埃里克却并不兴奋，反而一脸鄙夷地看着我。

"他们是不在乎经验值，但是他们不想爆炸啊！"

"他们不会知道自己要爆炸的。"

"这么说，你准备从贵宾犬星球抓三个人来，骗他们吃下恶魔蛋糕，再把他们送到暗黑国王面前等着爆炸？"

"没错，这就是我的计划。"

埃里克咬紧牙，使劲晃着头。看上去他似乎想说什么，却努力咽了回去。

"听我说。"我继续劝道，"如果你觉得不应该瞒着他们，咱们可以把现在面临的问题说出来，看谁愿意加入。"

"闭嘴！"

"刚才那个拿着树枝的人看上去正想找个人打一仗，咱们说不定可以把他送到暗黑国王面前，然后……"

"闭嘴！别再说了！"埃里克的声音开始颤抖。

"你没事吧？"

"我没事！你没事吧?！"

"你说什么啊？"

埃里克看上去十分生气："咱们来到这里之后，你就像变了一个人！成了一个大坏蛋！"

"大坏蛋？我来这里拯救世界，怎么就成大坏蛋了？"

"没错！杰西，你刚才要害一只可怜的小猫！"

"我再说一遍，那不是一只真猫！那是游戏角色！"

"现在你又想伤害三个无辜的人！"

"埃里克，你必须从全局出发！在游戏世界里，几个人爆炸没什么大不了的，这里不是现实世界！他们还能活过来！"

"那你也不能让人爆炸啊！"

"埃里克，我也不想这样。但是，咱们在马克曼设计的世界里，必须按照游戏规则闯关。"

埃里克使劲摇头："不是的，咱们不可以这样！这样不对！我不要这样！"

"随便你吧，反正我要行动了。"说着，我拉开了埃里克的装备包。

他转过身一把抓住了我的胳膊，咬牙切齿地对我说："你敢！"

我举起手里的恶魔蛋糕，一脸得意。"已经太晚了。"我咧嘴一笑，"女机器人，请带我去——"我话还没说完，就被埃里克撞倒了。

叮咚！下坠！开门！

"欢迎来到便便星球。"

"啊啊啊！"我惊声尖叫起来，不仅因为这里臭气熏天，而且因为埃里克正咬着我的胳膊不放。我手中的恶魔蛋糕在混乱中也掉到了地上。我语无伦次地向女机器人哀求："带我们离开这里！去哪里都行！"

叮咚！下坠！开门！

"欢迎来到土——土豆公园。"

我从传送舱中滚了出来。这里看上去像是一座土豆主题公园。一个脖子上挂着照相机的小土豆蹦蹦跳跳地到了我的跟前，开始给我拍照。我的右边像是游乐园中的激流勇进项目，只见一个用烤土豆做成的船正从高处向下冲，只不过下面不是水，而是浓浓的奶油汤。我转过身和埃里克说话："咱们应该……"

咚！

我感觉像被绿巨人打了一拳，直接飞了出去。过了好一会儿我才搞清楚状况。埃里克戴着铁拳套，居高临下地对我说："我自己去对付暗黑国王，别跟着我！"

这家伙居然对我下手这么重，一时间我也忍无可忍了："你想打一架吗？那就像个男人一样，别搞偷袭！"我翻开装备包，戴上了对战的手套。

埃里克举起拳头，毫不示弱："乐意奉陪！"

我暗自高兴，埃里克肯定会吓一跳，因为我在黑洞之心的时候，偷偷装上了这副重力手套。他完全不知道我有这个装备。我伸了伸拳头，给手套补充能量，埃里克也冲了过来，后面还跟着那个不停拍照的小土豆。可惜，他明显不是我的对手。看手套能量够了，我把双手举过头顶，埃里克的身体也跟着从地面抬了起来。

"怎么回事?! 把我放下来！"

我可不会这么善罢甘休。我一只手指着埃里克，另一只手就像在拉马林鱼开始收线。

我当然会把他放下来，但是现在我还在气头上，不打算这么做。我把他拉到了我的身边，然后猛地攥拳，想给他重重一击。

咚！

我没想到的是，埃里克居然先出拳了，我再一次被他打飞。那个拍照的小土豆看我们这么愤怒，赶紧溜了。

"我受够了！"说着，我一拳打到地上，混凝土地面开始下陷。我举起胳膊，大地又弹了回来，像蹦蹦床一样把我也弹到了空中。"啊啊啊啊！"我像个疯子一样尖叫着，仍然不忘给自己的手套蓄力。

"啊啊啊啊啊啊！"埃里克也高喊着，把铁拳套的威力调到最大。

我冲埃里克飞了过去，我们两个人都用尽全力打向对方。

轰隆隆隆隆隆！

自从进入鲁本宇宙，我也算身经百战，和史前怪兽对决，向暗黑国王进攻，甚至击败了三十米高的巨人。但是，当我们的拳头碰撞到一起的时候，我才明白什么叫威力无穷。

　　我们两人拳头相撞时，发出了震耳欲聋的声响。之后的十几秒里，我都感觉脑袋嗡嗡的，听不到其他声音。除此之外，拳头相撞的地方还出现了一个大黑洞。黑洞有巨大的吸力，我感觉脸上的皮肤都要被吸进去了。最令人惊讶的还是我们相互攻击引发的爆炸。

　　爆炸产生的巨大冲击力把我们都甩到了地上，我紧闭眼睛，努力调整着自己的呼吸。过了好一会儿，我睁开眼，看到巨大的"浪"向我们涌来。

14
联合攻击

"快跑啊！"

我和埃里克引发了超级大爆炸，摧毁了土豆公园的"激流勇进"。高高的平台瞬间塌了，浓浓的奶油汤如山洪一般涌了过来，我们赶紧逃跑。但是，我们没跑几步就被浓汤卷了进去。"啊啊啊啊！"我大喊着，努力伸着胳膊，想要在汤中保持平衡。没想到，我竟能在这奶油汤中乘风驭浪，刚才惊恐的尖叫很快变成了发自心底的欢呼。大概是太过得意，我没有注意到前面的"炸食铁路火车站"，一下磕到了脑袋，我顺势就在这里停了下来。

现在我终于有机会看一下自己的生命值了。居然是100%！我的天哪，简直让人难以置信。"这是怎么回事啊？"

埃里克也被奶油汤冲了过来，他站起身，揉着眼睛说："联合攻击。"

我等着他继续解释，他却什么都没说。

"你说的是游戏术语吗？如果咱们联合攻击，就能让威力变强？"

埃里克轻蔑地看着我，走到了一边。

我浑身淌着奶油汤跟在他后面："你这是要去哪儿？"

"去找暗黑国王。"

"要是咱们联合攻击，能打败暗黑国王吗？"

"我觉得可以。"

"那你等等我啊！"

埃里克转过身来："你别跟着我！我不想再和你吵下

去了！"

"我只是想去那边的冲浪池洗洗身上的奶油汤。"

埃里克听了翻了个白眼，但还是和我一起走到了池边。"嘿，听我说，你是对的，我现在明白了。"在冲浪池我赶紧跟埃里克解释，"我当时不知道还有别的办法，所以才会那么做。我不了解电子游戏，不知道联合攻击的威力这么大。"

埃里克根本不搭理我，只顾着拧出衣服里的汤。

"你知道联合攻击这样的绝招，应该提前告诉我。咱们得合作打败暗黑国王。"

埃里克还是不说话，只是继续拧衣服。

"但是，你也得承认，我的主意也不错，肯定能打败暗黑国王。"

埃里克径直朝舱门走去。看他一直没有回应，我赶紧一路小跑追了上去。因为太过着急，我没注意地上那一摊奶油汤，差点儿滑倒。

"暗黑国王的宫殿。"舱门刚一关上，埃里克按下了按键。

叮咚！下坠！开门！

　　我们再一次回到了这座令人毛骨悚然的宫殿。暗黑国王坐在宝座上盯着我们说："又是你们两个？"我紧张得直冒汗。暗黑国王掰了掰手指，站起来准备战斗。根据经验，我们只有四秒钟的时间，之后这家伙就会用手指把我们消灭掉。

　　一秒！

　　埃里克跑到宝座后面，我开始给拳套蓄力。

　　两秒！

　　暗黑国王诡异地笑着，慢慢抬起胳膊。刺耳的小提琴声又回荡在宫殿里。

　　三秒！

　　暗黑国王用手指着我。我赶紧低头，冲埃里克跑了过去。

　　四秒！

　　我和埃里克几乎同时腾地而起，两个人的拳头重重地撞在一起。几乎是同时，暗黑国王的手也发射出致命的黑光。

　　轰隆隆隆隆隆！

　　暗黑国王的能量完全被我们制造的黑洞吞噬了。黑洞吸收了他的力量，变得越来越大。刚开始的时候，暗黑国王还一脸困惑地看着。在强大的吸力下，他的表情很快就变得扭曲，脸上的皮肤都被吸了过去。等到他意识到情况不妙开始挣扎的时候，已经太晚了——伴随着刺眼的强光，黑洞爆炸了，暗黑国王也被吞没。

叮叮叮咚！

伴随着清脆的铃声，我们的经验值也跟着飙升。

"哇！"我高兴得手舞足蹈。一直闷闷不乐的埃里克脸上也有了笑容。我们跑回传送舱，第一件事就是问女机器人："现在我们的经验值是多少？"

屏幕上显示出了我们的经验值总和，一共是42221。

"我们要开始忍耐力挑战！"我大喊。

"关闭重——重——重——"女机器人一直重复着"重"字，就是说不出来"重生系统"几个字。

"来吧！这就开始吧！"埃里克呐喊着，激动地用手砸墙。

叮咚！下坠！开门！

舱门再次打开，又是一个白色的房间，又是马克曼。他张开双臂："欢迎光临，我的战士们。"

知道又是马克曼的全息图，埃里克根本没有过去揍他的意思。

"终极战士不仅要身心强大，还要意志坚定。也许这是最艰难的挑战，我将在终点迎接真正的战士。"

叮咚！前面的墙上出现一个红色方块。

"这是你们的位置。"马克曼解释着。

叮咚！旁边又出现了一个绿色方块。

"这是你们要去的地方。很简单，是不是？我几乎把路线都告诉你们了。"

但很快，墙上的方块越来越小，房间的四面墙上出现了许多线条，房顶和地板上也有。最后，两个不同颜色的方块变得只有邮票那么大了，有一条贯穿房间的、比较明显的曲线把它们连了起来。这时候，我才明白最后的挑战是什么——走迷宫。这可不是一般的迷宫，很可能是世界上最长的迷宫。

马克曼一脸坏笑："这是一个迷宫！有史以来最难的迷宫。"

我痛苦地叹息着。我们特别不擅长走迷宫，尤其是埃里克，他在这方面实在是太差劲了。还记得一年级的时候，每次老师给大家留走迷宫的作业，埃里克都走不对，最后交上去的作业就是把起点和终点用直线连到一起。去年，我们住在一起的几家人一起造了个玉米地迷宫，打算来场比赛。埃里克刚进去两三分钟就受不了了。找不到出口的他因为太过恐慌，直接横穿玉米地。最后，一个假装稻草人的邻居取消了他的比赛资格，把他带了出来。

"按照这个路线，你们将在八天后找到终点。"

我的心头一紧：八天？他是说八天吗？

"希望你们已经记清楚路线了，地图马上就会消失，三……"

"不要啊！等一等！我带着相机呢！"埃里克大喊着开始翻装备包。

"二、一。"

埃里克刚把相机拿出来，地图就消失了，我们眼前还是那面整洁的白墙。

"好消息是你们不会在这儿丢了性命，不过很可能在这儿丧失心智，彻底疯掉。祝你们好运！"

15
制造武器

话音刚落，马克曼再次消失。我们眼前的墙缓缓下移，出现了五条小路。埃里克见状，没有丝毫犹豫，直接从装备包里找出一柄大锤，然后冲我们身后的墙一顿猛敲。

哐！哐！哐！

我叹了口气："你这是要干什么啊？"

哐！哐！哐！

大锤重重落在墙面上，随即又弹了回来，感觉墙像是橡胶做的，大锤对它一点儿破坏力都没有。敲了没几下，埃里克就把大锤扔到一边，换了一把十字镐。

咚！咚！咚！

"快别凿了，咱们得谈谈。"我说。

咚！咚！咚！

趁着埃里克准备再次砸墙的工夫，我赶紧抓住十字镐："你这是要做什么？"

"砸开墙好离开这儿啊！"

"可能吗？这墙看起来很难砸，你这是在做无用功。"

埃里克转过身来，脸上淌着汗。

"你刚才要是好好听马克曼说话，留意墙上的地图，就应该知道，墙的另一边就是迷宫的尽头。所以咱们只要穿过这面墙就能赢，现在明白了吗？"说着，他一把夺过十字镐，继续卖力砸墙。

咚！咚！咚！

"肯定是因为这面墙不可能打穿，马克曼才会给咱们看迷宫的地图。当然了，他故意让起点和终点挨得这么近，就是想让咱们抓狂。不管怎么样，要想在接下来的八天里保持清醒闯过迷宫，咱们就不能浪费力气干这种蠢事！"

我一边说一边不住地擦着额头上的汗珠。我的天哪，这里也太热了吧。也许是因为迷宫里的空气不流通，或者是因为迷宫的墙面能反复折射，总之热气似乎排不出去。滚滚热浪扑面而来，比外面要热上好几倍。

咚！咚！咚！

我实在没有耐心等下去了，开始沿着门厅向前走。"站住！"埃里克喊住我，"你要去哪儿啊？"

"只要沿着正确的路线走，就一定能走出迷宫。"我说。

"你开什么玩笑？"埃里克激动地说，"这么走这辈子也别想走出去！"

"你就瞎鼓捣吧，等你想明白了再来追我，我就在——天哪！"墙居然这么烫！我的手无意间碰上墙，赶紧缩了回来。这墙怎么也得有一百摄氏度啊！没关系，别担心，我安慰自己说，不一定要用手扶墙。想到这儿，我又继续向前。

扑哧扑哧。

"等等，杰西！"

扑哧扑哧。

"杰西！"

扑哧扑哧。

"你快停下来！"

"怎么了？"

"你留下了好多脚印。"

我转过头来，身后果真有一串黑色的脚印。这也太奇怪了，我抬起鞋底，想看看是不是鞋上粘了什么——我没踩上什么黑色的东西，可是鞋底是黑色的！地板把我的鞋底都烫化了！不要啊！天哪！如果鞋子没了，我就要光着脚踩在这滚烫的地上了。想到这里，我赶紧跑了回去。

扑哧扑哧扑哧扑哧扑哧。

"使劲砸啊！"我说着一把抢过埃里克的十字镐。

咚咚咚！咚咚咚！

我突然想到什么，停了下来："等一等。咱们联合攻击啊！"

埃里克开始给他的铁拳套充能，我也戴上了自己的重力拳套。铁拳套和重力拳套的能量一满，我们就开始倒计时。三、二、一！我们两个人都用尽全力，拳头相撞的那一刹那，只听轰隆隆隆隆隆隆！

除此之外，什么变化也没有。我感觉脚下黏黏的，鞋底已经开始化了。

"把装备包里的东西都倒出来！"埃里克说着，把他的武器倒了一地。我也把自己包里的东西都倒了出来。

我们开始在这一堆武器中寻宝。在过去的一周里，我们收集了不少东西，有鲁本宇宙的旗帜、懒人沙发、一大罐乡村奶酪、战士的头盔……

"这是什么啊？"

"啊，这是喷气发动机。"埃里克回答。

"你拿这东西干什么？"

埃里克耸了耸肩："万一咱们找到一架喷气式飞机呢，说不定用得上。"

我坐在懒人沙发上，双手抱头，努力地想办法。我们的这些东西都不行，不能帮我们穿过墙面到达终点。

这么想来真是前路渺茫，很可能我们最后的命运就是在这里被烤熟。之前和埃里克之间的种种不愉快浮上我的心头。埃里克是我最好的朋友，我不希望一切结束之前我们还有解不开的心结。想到这儿，我清了清嗓子。

"埃里克，听我说，我……"

"我都知道。"埃里克打断了我。

"我只是想说……"

"好了，知道了。"埃里克回答。

我抬起头，埃里克正摆弄着地上的威浮球，球都快熔化了。"真的很抱歉。"我解释着。

"我也是。"

此时此刻，我们本应该抱在一起，为之前的争吵画上圆满的句号。但是，我们最后都心照不宣地点了点头。

我继续坐在懒人沙发上琢磨该怎么办，直到沙发表面因为温度过高而散发出刺鼻的味道，才想要起身换个地方。也就是这时候，我突然发现喷气发动机的外壳好像熔化了。

埃里克看了一眼早已变形的发动机："可能这东西的外壳是用轻金属做的，轻金属就是熔点很低。"

"喷气发动机怎么能用轻金属做呢！"

埃里克耸了耸肩："飞机的很多零部件都是轻金属

做的。"

"是吗？这话说得好像你是个飞行员或者飞行领域的专家。"

"我对机械制造还是颇有研究的。"

这话提醒了我，我睁大眼睛："对啊，制造啊！"

"什么？"

"咱们可以造点儿什么！"

埃里克打量着这一地的"垃圾"："不行，咱们造不出什么来。"

"咱们造不出游戏里的武器装备，也能用胶枪搞点儿创意！"说着，我用降落伞兜住喷气发动机，想把它拽过来，免得走过去烫着脚。情况和我预料的一样，想把发动机弄过来非常难，因为熔化的部分已经粘在地面上了。"咱们可以把地面当成胶枪，利用高温熔化金属，把它们粘在一起！"

"粘什么呢？"埃里克问。

我强忍着烫，用力把喷气发动机推到了大锤旁边。伴随着金属撞击的声音，埃里克的眼睛开始放光："火箭流星锤！"

说干就干，我们马上开始制造新式武器。先把喷气发动机的一面加热，使它熔化，然后小心翼翼地把大锤粘到上面。啪！一切进展顺利。我们又等了一会儿，觉得差不多粘牢固了，才拿起火箭流星锤挥了挥。感觉真不错！为了让武器更牢固，我们又熔化了一些没用的塑料，连同我鞋底的焦油一起涂抹在了喷气发动机和大锤的连接处。静置几分钟后，我再次挥动火箭流星锤。简直太棒了！

我打开喷气发动机的开关。

嗡嗡嗡嗡嗡嗡！

我紧紧握住手柄，把火箭流星锤举过头顶，使出吃奶的劲儿把它抡了出去。

当！

这回锤子没有像之前一样弹回来，而是卡在了墙里。我带着满心的欢喜用力拉出锤子，又是一挥。

当！当！

第三次砸墙，我就已经在墙上砸出了一个洞。埃里克透过洞朝墙那边看去。

"我就知道是这样！"他说着举起拳头，感叹自己神机妙算。

我也凑过去，墙的另一边是一个绿色的房间。胜利在望，我的脸上不自觉地绽放出笑容。埃里克后退了几步，我继续卖力砸墙，洞越来越大，大到我们可以穿过去。

"马克曼？你在哪儿？我们来了！"埃里克刚到那间绿色房间里，就扯着嗓子喊。

"祝贺贺贺贺贺。"马克曼的声音传来。我们猛地回头，发现刚砸开的墙面上出现了他的头像，图像时有时无，很不稳定，而墙上的洞正好是他嘴巴的位置。"我真真没想到到你们……"

马克曼还没说完，他的图像就消失了，周围变得特别安静。我们等着信号恢复，却迟迟没有动静。难道系统坏了？就在这时，地面泛起了蓝光。

这蓝光如此熟悉，我好像在哪里见过。想着想着，我倒吸了一口凉气。

"怎么了？"埃里克问。

"咱们得赶快离开这里。"我小声说。

"但是……"

我一边推埃里克，一边催促着："快点儿！"

　　我们两个终于跌跌撞撞地爬了回去，一左一右地靠着墙躲在洞口。我一动也不敢动，努力调整自己的呼吸，生怕因为大口喘气而发出声音。

　　埃里克举起双手，用唇语问我："怎么了？"

　　我指了指耳朵，示意他仔细听。

　　十秒、二十秒、三十秒，周围一片寂静。但是最后，我还是听到了那个声音。

　　这面具下的粗重的喘息声，我绝对不会听错。

16
套袋跳

　　砸破墙壁的同时，我们也破坏了鲁本宇宙的游戏规则，这种行为无疑会惊动巴格其勒。胆敢自己制造武器破坏游戏中马克曼精心设计的迷宫，我们已不再是巴格其勒要保护的对象，反而成了它的眼中钉、肉中刺。

　　我透过墙上的洞偷偷看了过去，只见巴格其勒正在绿色的房间里转悠，它的一只手的手指变成了触手，它用触手细细检查着每一寸墙壁。

周围如此安静，只能听见触手划过墙面的声音。

埃里克小心翼翼地用脚去够地上的光剑，想用来防身。我赶紧把手指放在嘴上，做出"嘘"的动作。我们屏住呼吸，听着墙那边的动静。屏幕上的马克曼这时突然开始说话，打破了寂静。

"你们以为已经完成挑战了了啊啊啊！"

这突然发出的声音吓得我一激灵。

"还有有有有有一项任务……"

我和埃里克面面相觑，就在这时，我们中间多了一个脑袋。巴格其勒的头从墙洞里探了出来。

"啊啊啊啊啊！"我的大脑一片空白，在慌乱中随手拿起一个东西就朝它砸了过去。

砰！

好在我拿起的是刚才组装的火箭流星锤，一下子就把巴格其勒打得飞了回去。

"快跑！快啊！"

我和埃里克拔腿向前冲。前面的岔路口有五条路，这么说来巴格其勒找到我们的概率只有五分之一。

扑哧扑哧扑哧扑哧扑哧。

听到声音我才想起来，我们的鞋会留下脚印，巴格其勒肯定能顺着脚印追过来。这么说来它百分之百能找到我们。就在这危急时刻，我想到一个好办法，赶紧拿起鲁本宇宙的旗子，继续逃命。

扑哧扑哧扑哧扑哧扑哧。

"它很快就会追上来的！"埃里克已经吓得不行了。

"它只能顺着咱们的脚印走，但是绝对找不到咱们。"我说着，带着埃里克走到了左边的通道。

"这有什么区别啊！"

扑哧扑哧扑哧扑哧扑哧。

转过第一道弯，我赶紧让埃里克停下来，然后把旗子铺到了地面上，就像铺地毯一样。"快跳上去。"

"啊啊啊啊啊啊。"

我们就这样站在旗子上，艰难地向前移动，希望能通过这种方式走到另一边，好误导巴格其勒，我们能多一点儿逃生的时间。路过墙上的洞口，我还忍不住往里瞥了几眼，生怕巴格其勒突然出现。可惜的是，我们用这种方式移动实在是太慢了。这样可不行，我抓起旗子角对埃里克说："咱们套袋跳吧！"

就这样，我俩一前一后，用旗子兜着腿跳到了右边的通道。趁着巴格其勒还没追上来，我俩顺利地转过了第一道弯。

"接下来怎么办？"埃里克用唇语问。

我指了指那个绿色的房间，他看了一眼，开始疯狂摇头。但是，我还是坚定地点了点头。还有更好的办法吗？这么做有风险，但是也有希望。我蹑手蹑脚地朝那边看，发现我们的计划成功了，巴格其勒已经去左边的那条路上了。我赶紧示意埃里克往回跑。

扑哧扑哧扑哧扑哧哧哧哧。

这下完了，我的鞋底已经快化完了。踩在这滚烫的地面上，我不禁深吸几口气，试图让自己冷静下来。我开始想象自己踩在冰块上，好忘掉脚底的灼热感。

"哎哟！"我回过头去，看到埃里克正抱着左脚。很明显，他没有给自己积极的心理暗示。大概是他的喊声惊动了巴格其勒，那个家伙从左边的通道冲了过来，将发射器对准我们。

"快过来！"我大喊。埃里克赶紧跑了过来。与此同时，我从地上的一堆武器中捡起一面盾牌来抵挡巴格其勒的炸弹。

轰隆！

盾牌被炸了个稀碎。我又捡起一面盾牌继续跑。

轰隆！

这面盾牌也没能躲过被炸碎的命运。我捡起最后一面盾牌，冲着绿色的屋子冲了过去。

轰隆！

好在巴格其勒的第三炮打偏了，既没有打着盾牌，也没有伤到我。

"我展——展——展——望——未——未来……"屏幕上的马克曼还在磕磕巴巴地说着话，没有停下来的意思。

"来追我啊！"埃里克嚷着。

我循声看去，埃里克正站在屋子的中间。他脚上缠着自己的 T 恤衫，手里拿着我们的火箭流星锤。巴格其勒刚从洞口钻过来，埃里克就把锤子冲它扔了过去。可惜的是，这一招巴格其勒已经见识过了，它伸出一只触手，十分轻松地将我们制造出来的武器拨到一边。

说起来我真的很佩服埃里克，失败并没有让他乱了阵脚。埃里克还是站在那里，死死地盯着巴格其勒，与此同时给自己的铁拳套加足了马力。

"总会——激——激——情——情——澎——澎——湃——湃……"马克曼还在继续。

我也偷偷地启动了重力拳套，等待时机成熟——

咔！

巴格其勒也不是吃素的，它一边盯着埃里克，一边伸出左边的触手，趁我不备紧紧缠住了我的喉咙。它缠得太紧了，我几乎无法呼吸。

"他——他——他——他——"马克曼说。

拳套已经加满了能量，要是我能握拳，说不定还是可以和埃里克一起，发动联合攻击的。埃里克往前快走了几步，我感觉脖子被勒得更紧了，脑袋都要掉下来了。

"他——是——是——"马克曼一直在断断续续自顾自地发表演讲。

我看到埃里克举起铁拳套，感觉巴格其勒的触手又在我脖子上多缠了几圈。慢慢地，眼前的一切越来越模糊。

"你们的——奖——奖——奖励。"马克曼终于说完了。

叮咚！

在彻底失去意识之前，我用最后的力气挥动了一下自己的拳头。

轰隆隆隆隆隆！

我们的拳头相撞，产生了巨大的威力。巨响、黑洞、皮肤的撕裂感，相信这一切定能让巴格其勒放开我。光团、爆炸！但是，巴格其勒一动也不动，似乎这一切对它的影响微乎其微。

当然，"微乎其微"不代表没有。

巴格其勒的触手还是松了一点点，这一点点足够我深吸一口气。我终于恢复意识了。

再次睁开眼，我看见右边有两座奖杯。埃里克举起一座奖杯，然后他瞬间消失了。剩下的一座奖杯离我不远，只要我能够到，也能和埃里克一样离开这里。趁巴格其勒还没有发觉，我用尽全力晃动自己的身体，想让自己距离奖杯更近一点儿。凭借自己的努力，我没穿鞋的脚指头总算碰到了奖杯。

奖杯凉凉的，我还没来得及感受，它就不见了。

17
无物可信

咔!

巴格其勒紧紧扼住我的喉咙,我使劲撕扯着它的触手,想要呼吸。

"杰西!"

咔!

我拳打脚踢,想让它放开我,哪怕只是松一点点也可以……

"杰西！快醒醒啊！"

我睁开眼睛，埃里克正一脸焦急地看着我。

"我……我感觉自己呼吸暂停了。"我大口喘着粗气。

"没有，你没事，咱们被传送到了别的地方，已经安全了。"

我用手摸了摸脖子，确实——脖子上没有了巴格其勒的触手，但我的喉咙还是很疼。我试着咽了一下口水，又深吸了几口气，似乎一切正常。终于恢复正常了，我抬头看向埃里克。天哪！不对！这太不正常了。"你这是穿的什么东西啊？"

埃里克扯了扯身上的黑色连体裤说："你穿的也一样。看来这里的工作服就是这样的。"

我坐起身，想好好看看"这里"是哪里。眼前高耸入云的城堡看得我目瞪口呆。这里的建筑设计得特别前卫，感觉建筑师最初在城堡和摩天大楼之间犹豫不决，最后干脆效仿《科学怪人》，用玻璃和金属东拼西凑出来一座三百多米高的四不像。

"欢迎来到马克曼星球！"天空中传来马克曼的声音，

"想成为终极战士，还要通过最后的考验。我相信，你们将在这里学到很多东西。"

我站起来四处打量。马克曼把他的末日城堡建在了一座漂浮的孤岛上，孤岛下面是看不见底的深渊。这里和迷宫不一样，没有蒸笼一般的高温，但还是很热。

"你们通过了力量、勇气和忍耐力的考验，获得了成为终极战士的资格。"马克曼接着说，"但是，要想让自己的能力发挥到极致，还需要具备一项终极技能。我也是在获得终极技能之后，才成为真正的终极战士。今天，你们也能汲取智慧，成为全新的自己。"

这话真是令人作呕，我和埃里克一直在翻白眼，感觉眼睛都要抽筋了。毕竟，我们是来破坏马克曼的电脑的，对他奇奇怪怪的言论丝毫不感兴趣。但马克曼似乎乐于发表一些可笑的看法。

"你们要上的第一课，就是弄明白'无物可信'的道理。"马克曼说，"这里的所有设计只有一个目的，那就是考验你。真正的战士不会去走那些设定好的路，他明白'无物可信'，一切都要靠自己。真正的战士懂得另辟蹊径，开辟属于自己的路。"

我们静静地听着，以为他得多念叨点儿自己的大智慧，但是他似乎只想说这么多。"谢谢你，这几句话快赶上圣人的言论了。"埃里克嘟囔着伸手去抓城堡的门把手，想打开这六七米高的大门。

唑唑唑唑唑！

一条黑色的鳗鱼毫无征兆地从大门的钥匙孔里钻了出来，缠上了埃里克的手。

"救命啊！"埃里克甩着手大喊。

我站在一边，也扯着嗓门冲鳗鱼喊，只可惜收效甚微。于是我又凑到近处，用空手道的招式冲着鳗鱼背部一顿乱劈。后来，埃里克更是使出了回旋踢，全身疯狂甩动，这才把鳗鱼甩下去。

"你还好吧？"我问。

埃里克痛苦地搓着手背，刚才鳗鱼停留的地方已经一片红肿。"感觉像烧着了一样疼。"

我看着城堡的大门，不知道接下来该怎么办。经过刚才的事件，我是绝对不想靠近钥匙孔了。这时候，我突然想起了马克曼的话。"应该还有别的方法可以进去。"我说。

"什么？"埃里克问，显然他的手背还是很难受。

"马克曼说'真正的战士懂得另辟蹊径，开辟属于自己的路'。一定有秘密通道通到城堡里。"

埃里克一边搓着手，一边仰望天空："这肯定是我最不喜欢的游戏了。"

我看向四周，秘密通道在哪里呢？会不会是在某片灌木丛，动一动、推一推机关就能找到？还是城墙哪里有一块不一样的砖头？或者需要用铁锹挖一条隧道？

埃里克显然有不一样的想法。他还是站在门口——当然，他和钥匙孔保持着安全距离——准备用力踹门。

"嘿！"埃里克中气十足的呐喊声很快就变成了痛苦的呻吟声，他的脚径直从门上穿了过去，自己也一屁股坐到了地上。

我没有去扶埃里克，而是直接走过这扇假门。"真是太神奇了。"我不禁低声感叹。

穿过大门能看到一个兵器架，上面插满了各式各样的宝剑，旁边的牌子上写着"请挑选一把"。我拿起一把弯剑，和我之前在海盗星球上用的差不多。埃里克也走了过来，经过一番斟酌，他选择了一把最大的宝剑。

但是，他刚拿起这把剑，它就变成了一条鳗鱼。

"这东西太讨厌了！"

我赶紧挥剑把鳗鱼斩成两截，然后帮助埃里克挑了一把正常的宝剑。有了武器，我们穿过门厅，进入了城堡。

"啊。"城堡内的景象让我赞叹不已。

从外面看，马克曼的城堡拔地倚天，里面似乎更大。楼梯在城堡里蜿蜒盘旋，错落有致。这里还有无数个房间和无数扇门，楼梯起点有门，楼梯顶端有门，连中间拐弯的地方也有门。这里感觉像是苏斯博士书里的插画，荒诞至极。

我定了定神。"准备好了吗？"埃里克说着，握住了离自己最近的门把手。

你肯定想不到接下来发生了什么。

"怎么什么东西都能变成鳗鱼！"

我再次挥剑替埃里克解围，埃里克赶紧一脚踹开了门。"我真是受够了这——啊啊啊啊啊啊！"

一只大猩猩那么大的爬行动物摆动着它那瘦骨嶙峋的四肢朝我们冲了过来。埃里克吓了一跳，直接撞上了我，我们一起倒在了地上。眼看这怪物到跟前了，我们来不及防御，只能躺在地上蹬腿，希望能在慌乱中踹开这巨大的怪物……

"嗷嗷嗷！"

埃里克歪打正着，还真踹到了那家伙的肚子。它被踹飞了，像泄了气的皮球在房间里盘旋了整整三圈，然后化作一团黄色的烟雾，就这样消失了。

居然这么轻松就把敌人解决了，我俩一时间都不敢相信。埃里克站起来，嘀咕着："这么说来，真是'无物可信'啊。"

这简简单单的四个字真是字字珠玑，在下一个房间里我们更加深刻地明白了这其中的道理。看着屋子里和玩具菲比精灵一样的小东西，我瞬间放松了警惕。"嘿，小家伙！"我说着走了过去，"我们想——啊啊啊啊啊啊！"

这个看似可爱的小东西不知从哪儿掏出来一把武士刀，差点儿就让我脑袋搬了家。埃里克见状赶紧过来帮忙，那家伙也不甘示弱，又掏出一把武士刀，双刀齐挥，一个对战我们两个。我们足足与它激战了二十分钟（舞刀弄剑超级耗费体力，这二十分钟感觉就像是运动了二十个小时）才成功逃离这里。

可以想象，打开另一扇门的时候，我俩早已身心俱
疲。这里没有怪物，却也十分奇怪，所有东西都是颠倒的。

时间在一分一秒地流逝。我们不再大步流星，而是
慢了下来——以前所未有的超慢速度行走在马克曼的噩
梦城堡之中。这种感觉就像……你有没有去鬼屋探险的
经历？我有过。那是几年前，小镇举行秋季狂欢节时，

一个叫奥斯卡的大孩子带着我和埃里克来到一座大宅子前，骗我们说里面有万圣节活动，可以找大人要糖吃。

这个大骗子！这里没有糖，只有空空荡荡的房子，阴森恐怖。我们每走一步都怕得要命，害怕有什么怪物跳出来。最后，我们跌跌撞撞地逃到了出口，紧张得满身大汗，把"胆小鬼"三个字演绎得淋漓尽致。最离谱的是，这座恐怖的"大宅子"居然是三辆连在一起的拖车，而我们全程都没有发现。

那次经历让我深刻地理解了一个事实：人类的大脑在处理焦虑情绪和意外状况方面，能力是有限的。如果你极度焦虑和恐慌，不停地扫视房间的角落，生怕有鬼怪出来，随时准备面对接下来的未知陷阱，或者看见门把手就要试试会不会钻出鳗鱼来，那你的精神就会变得脆弱，游走在崩溃的边缘。

所以，当我和埃里克进入一个房间看到马克曼时，我们感觉无比亲切，就好像是找到了许久未见的老朋友。那时我们刚成功通过一座架在满是食人鱼的池塘上、摇摇欲坠的桥。马克曼的祝贺来得正是时候。

"恭喜，战士们！接下来，你们要上成为终极战士的最后一课。请跟我来。"

话音刚落，地上出现了一道蓝光，这光如灵蛇般在屋子里游走，把我们的目光指引到了对面的墙上，那里出现了一扇发光的大门，门大开着。我长舒一口气，心里终于踏实些了。接下来等待我们的将是什么？难道会比之前的考验更疯狂吗？总之，我和埃里克都很高兴，终于不用再小心翼翼地试探有没有鳗鱼了，终于可以迈着大步穿过一扇门了。

我们怀着激动的心情走了进去，跟着蓝光走上台阶、穿过密道，最后进入一个超级大的圆形房间。蓝光一路闪过，在地面两张折着的白纸上停留了一下，然后就消失了。

我捡起一张纸，大声读道："第二课——无人可依。"

埃里克则捡起了另一张，上面写着："包括我在内。"

咔咔咔咔咔！

屋顶塌了下来，我们没跑几步就被压在了下面。

18
无人可依

"真可惜，就差一点儿了。"

我疑惑地摸着脑袋，搞不清现在的状况。上一秒我们还在瓦砾之下，此时却坐在会议桌边，对面就是马克曼。他略带失望地摇着头："可惜，真是可惜。"

我缓慢转动椅子，打量着四周，似乎我们穿越时空回到了过去。屋子里放满了二十世纪七十年代左右的穿孔卡电脑，每台都差不多有两米高。屋子里橘红色的地毯、老旧的办公桌，以及弥漫的香烟味，都让人感觉这里不是鲁本宇宙。只有额头上滴落的汗水提醒着我，我们还在游戏世界里。

"无物可信。这其中也包含了'无人可依'的道理，我以为你们能明白。"说着他叹了口气，"可惜你们不懂，我只好亲自来教你们这个道理了。"

埃里克伸手想给马克曼一巴掌，毫无悬念，他的手直接从马克曼脸上穿了过去。又是全息图！埃里克叹了口气，一屁股坐回椅子上。

"这里是由我精心设计的，哪怕是留在地毯上的污渍。我完美复刻了让我成为终极战士的地方。"马克曼说着倚到椅背上，"现在这里都属于我，这一层、这一栋楼都是我的。但是在1978年，我可买不起旧金山的摩天大楼，一层楼也买不起。我和当时的伙伴派珀博士一起租了这里的一个角落，开始创业。"

"唉——"马克曼说话的时候，埃里克一直在叹气。

"那时的我们没有高端的设备，也没有什么资金，我们只有对方和一腔热血。最重要的是，我们有自己的创意。这个创意太妙了，你们想听听吗？"马克曼煞有介事地停顿了一下，想要制造一点儿戏剧效果。

"就是《比萨男孩》！"

"唉——"埃里克重复着之前的叹息，站起来对我说："我先闪了，等他说完了喊我一声。"

"在电子游戏流行之前，我们就开始研发了。《比萨男孩》堪称惊世之作，是前所未有的创意！游戏的主角是一个喜欢吃比萨的男孩，他趁着夜色溜进满是鬼魂的比萨店，要在意大利幽灵主厨抓住他之前吃光所有比萨。我们当时把所有心血都投入到了这个作品中。游戏发布之前，我整整三个晚上都没有合眼，就是为了完善其中的动画效果。它绝对可以称得上杰作，"马克曼满脸忧伤，"是我们的杰作。"

我想告诉他，《比萨男孩》算不上什么杰作。但是，反正说什么他也听不到，我也懒得浪费口舌。

"在连着奋战了三个晚上后，我们举办了一个小型派对，庆祝游戏完成。在这个过程中，派珀博士一直和我并肩作战，所以第一杯酒敬给了他。"马克曼指着桌子上的两个杯子，每个杯里都有半杯酒。

　　"派对结束后的第二天一大早，派珀博士就乘飞机直奔日本，打算把我们的创意卖给那里的游戏制造商。他离开时跟我说，谈好生意就会第一时间打电话给我。我等了整整一天，也没有他的消息。这么大的订单当然不能一天就谈完，不是吗？我又等了一周，没有一点儿音信。也许这需要一个月的时间？我选择继续等。但是直到现在，他也没有给我回复。实际上，在那之后，我再也没有见过派珀博士。但是，你们猜，我见到了什么？"

　　我从未见过马克曼这副样子，他情绪激动，神情哀伤。看样子，时至今日这件事依然刺痛着他的心。

　　"是《比萨男孩》，我看到了《比萨男孩》这个游戏。当然了，它改头换面了，主题不再是吃比萨。但是，游戏主角看起来和《比萨男孩》的很像，里面的幽灵也一样，甚至每一关都和《比萨男孩》如出一辙。我们的游戏被换了个名字，变成了《吃豆人》。"

　　啊，我突然明白了。仔细想来，《吃豆人》确实和马克曼口中的《比萨男孩》很像。难怪他一直耿耿于怀。明明自己发明了最受欢迎的游戏，却被所谓好朋友骗走了创意、踢出了团队，这换谁能接受！

　　"这么多年来，我一直想把自己的游戏夺回来，但是没有人相信我。最后，我终于明白了一个道理，也希望你们能明白这个道理：你想要什么就必须自己去争取。终极战士没有朋友，只有联盟。你们两个互相帮助，一路披荆斩棘来到了城堡。我很欣赏你们的合作精神。接下来，就是走向辉煌的时刻。"

　　这时候，屋子里响起了老式游戏的音效，我们眼前出现了不少漂浮着的球。角落里的埃里克突然冲了过来："电脑怎么都换地方了？这是要打造一个迷宫啊！"他的眼睛瞪得大大的，"没错，就是《吃豆人》的迷宫！"

　　"最后的考验，就是打通《比萨男孩》的关卡。"马克曼说，"游戏里的幽灵并不是你的敌人，真正的敌人是你的伙伴。只有淘汰你们两个中的一个，游戏才会结束。顺便说一下，输的那一个将经历难以想象的折磨，这帮幽灵可不是好对付的。"

　　噗——噗——噗！

　　越来越多的幽灵靠了过来。

　　"还有一点，"马克曼说，"游戏有一个小小的改动，我为你们提供了另一个选择。如果你不忍心把自己的伙伴交给幽灵，也可以让他喝下桌子上的酒。这原本是给派珀博士准备的。它能瞬间送你的伙伴归西，还没有任何痛苦。好了，战士们，向着终极大奖进发吧！"说完，马克曼就消失了。

我和埃里克站在原地，一时间谁也缓不过神来。突然，埃里克向前一步，要去拿桌上的酒。

19
比萨男孩

"你要干什么！"我从椅子上跳了起来，想趁着埃里克还没喝，夺过他手中的杯子。埃里克举着杯子躲开了。

"我是决不会给你机会谋害我的！"说完，他把杯子里的酒都倒到了地上。

我怔怔地看着他："你觉得我会那么做吗？"

埃里克又清空了另一个杯子："我可不确定你会做

什么。"

"埃里克，我永远不会……"

噗——噗——噗！

突然，一个红色幽灵从我左边的迷宫里冒了出来，我来不及向埃里克解释，赶紧把自己的转椅朝那个红色幽灵推了过去。我的计划是用椅子挡住它，但这是幽灵啊，转椅直接从它身上穿了过去。见这招不灵，我迅速和埃里克一起奔向电脑迷宫的另一个入口。

"你要明白，我绝对不会害你的。"我还想继续解释。

"这一路走来，你都在按照马克曼制订的规则办事，不是吗？"

"你别这么说啊！"

"这回的规则是咱们俩必须牺牲一个。你打算怎么做呢？"

噗——噗——噗！

一个粉色幽灵突然出现在我们面前，我们赶紧原路返回，走了另一条路。

"马克曼肯定在说谎，你要明白。"埃里克继续说着，"肯定有别的办法能闯过迷宫。"

我点了点头，表面上赞同埃里克的说法，其实我心里明白，埃里克这回说错了。他没有听马克曼讲自己的故事，更没有看到他当时激动的样子。《比萨男孩》就是他心头的一根刺，是他心里过不去的一道坎儿。在内心积怨的促使下，他设计了终极战士的挑战，就是为了让坚持到最后的团队明白他的痛。

突然，埃里克猛地停住了脚步："我有个好主意！让我借力跳上去。"

埃里克撑着我的肩膀跃到了电脑塔上。这时，一个蓝色幽灵飘了过来，好在埃里克及时把我拽了上去。很快，又来了三个幽灵，它们在地上围着我们打转。这一幕真是恐怖，好在这四个家伙无法到达高处，抓不到我们。我喘着粗气，从高处俯瞰整个房间。这里四四方方，到处都是电脑塔，看上去很像现实世界中格雷戈里先生的那间屋子。也许，这真的就是那里。

埃里克大喊"咱们有麻烦了"，打断了我的思绪。我顺着他手指的方向看过去，那个蓝色幽灵现在只剩下一只胳膊了。

我惊恐地看着眼前的幽灵，只见它长出了一只长长的胳膊，高处的我们不再安全。"快跑！快跑啊！"

眼看蓝幽灵就要爬上来了，我们赶紧沿着电脑墙往前跑。跑着跑着，前面又出现了两只幽灵的长臂，我抓起埃里克就跳了下去。幸亏反应快，我们刚落地，长臂的主人——一个粉色幽灵就到了电脑塔上面。我站起来想继续逃，一不小心被地上的电线绊倒了。埃里克想来扶我，却被刚才的粉色幽灵挡住了去路。它也从电脑塔上跳了下来，正好落在我俩中间。

"分开跑！"埃里克大喊。

　　我俩一左一右，选择了不同的路线。粉色幽灵选择了追我。

　　噗——噗——噗！

　　尽管我拼尽全力，幽灵和我之间的距离还是越来越近，它追上来是迟早的事。我想到马克曼说的话。既然我和埃里克必须有一个人被淘汰，那就淘汰我吧！我刚下定决心准备牺牲，就又被地上的电线绊倒了。

　　"哎哟！"

　　噗——噗——噗！

　　周围突然安静了。

　　我抬起头，眼前的粉色幽灵已经变成了蓝色幽灵，而且它脸上写满了惊恐。埃里克站在它后面，头上戴着一顶厨师帽。

　　"比萨男孩前来营救！"

　　埃里克两三下就解决了这个幽灵。伴随着叮咚一声，它消失在我们面前。

　　"你来得真是时候啊！"我感叹着。

　　"比萨男孩绝对不会抛弃队友。"

　　"这帽子是怎么回事？"

"我从地上捡起一块比萨，就有了这顶拉风的帽子。"

就在这时，他头顶的帽子开始闪，似乎要消失了。而角落里又飘过来一个蓝色幽灵。

"滚回去！"埃里克喊着就冲了上去。叮咚！幽灵和埃里克的帽子几乎在同一时间消失了。

"那咱们继续寻找比萨吧，这样就能打败所有的幽灵了！"我说。

"但是这样并不能让幽灵消失，只能把它们传送回迷宫中央。"埃里克说，"你没玩过《吃豆人》吗？"

我一直没有说话，只是静静地跟着埃里克在迷宫中跑来跑去。"咱们两个中只有一个能坚持到最后，你明白吧？"我忍不住提醒他。

"别说这种话！"

前面飘来了一个橙色幽灵，我们赶紧掉头。身后又追上来一个红色幽灵，埃里克带着我躲过攻击，转到了另一条路上。他的头上又有了那顶厨师帽。这下换我们威风了，埃里克叫喊着，挥动着胳膊朝刚才那两个幽灵打了过去。我们获胜后，我轻声告诉埃里克："我希望留到最后的是你。"

"比萨男孩绝对不会抛弃……"

"埃里克，别说了。"我打断了他。

他一把抓住我的胳膊。我第一次从他的眼神中看到恐惧——他也会害怕。"肯定还有别的办法，你不能就这么放弃。"

"你更有可能打败马克曼，你也更擅长……"

"别再说了！"他的手抓得更紧了，"我不会放弃的，咱们一定能一起离开这里，你听明白了吗？"埃里克说完又开始了战斗，但是没走出去两步，他就被地上的电线绊倒了。"这些讨人厌的电线……"

我眼前一亮："电线！"

"我最讨厌这些东西了！"埃里克说着开始拽地上的电线。

"我不是说这个！我有办法了！这些电线一定是连到某个地方的，对不对？"

"是啊，连到墙上。"

"不是，我的意思是，这里满地都是电线，这么多的电脑，这么大的功率，应该得有一台设备来控制吧。"

埃里克摇了摇头，一副云里雾里的样子。

"这个房间和格雷戈里先生那里一模一样。还记得吗？他说过万不得已时，可以关闭电源？"

埃里克的眼睛亮了："配电箱？"

"没错！咱们要是找到这里的配电箱，肯定可以关闭电源！"

"太棒了！"

噗——噗——噗！

前面转过来一橙一粉两个幽灵，后面也有一个蓝色幽灵和一个红色幽灵，我们遭到了围攻。

"推我一下！"埃里克说。

我用力一推，埃里克借力跳到电脑塔上，赶紧把我也拉了上去。我们检查着房间的每一个角落，地上的幽灵马上就会上来，时间紧急。在哪儿？配电箱究竟在哪儿？"在那里！"我找到了！就在远处的角落里，那里有一个金属箱子。

"这里还有块比萨！"埃里克指着下方的地面欢呼起来。

我们跳到地上，径直冲向比萨。埃里克捡起比萨吃了下去，立刻能量满满，用跆拳道的招式几下就解决了两个幽灵。

"嘿！嘿！"

一刻也不能耽搁，我们赶紧爬上电脑塔继续找比萨。埃里克在比萨的帮助下过关斩将，带着我一路向前冲，同时寻找下一块比萨。我们的动作一气呵成，四个回合下来，这些幽灵都崩溃了。它们气得不行，飞快地在迷宫里移动，比我们的速度快了两倍多。我们又爬上了电脑塔，我迅速规划路线，目标就是配电箱。"咱们就要成功了！"我冲埃里克大声问，"你拿到比萨了吗？"

"啊……"

埃里克脚下已经可以看到粉色幽灵的手指了，我们来不及商量，直接跳了下去，朝着最后的目标进发！

跑到一半，我突然意识到自己犯了一个致命的错误。

配电箱太远了，而身后的橙色幽灵速度飞快，我们不可能直接跑过去。"埃里克！赶快拿比萨！"

噗——噗——噗！

橙色幽灵似乎在加速，马上就要追上来了。我拐了个弯，被地上的电线绊了一下，好在没有摔倒。

噗——噗——噗！

五米之外就是配电箱，但是橙色幽灵在两米之内就会抓住我们。我能感觉到它就在我身后，我的身上好像有了静电。一切就要结束了。时间似乎都放慢了脚步。

噗！

我呼吸急促，紧张到了极点。

噗！

有什么东西撞到了前面的电脑塔上。

噗！

是埃里克！

噗！

目光相遇的那一刻，埃里克意识到我有危险——马上就要被幽灵吞进肚子里了。

噗！

埃里克想也没想，就推倒了身旁的电脑塔。

噗！

我还没搞清楚他在做什么，就看到一个红色幽灵出现在埃里克身后。

噗！

埃里克转身，一下子撞到了那家伙的肚子上。

20
紧急出口

"啊啊啊啊啊啊啊！"

埃里克尖叫着，这尖叫声是我听到过的最尖锐、最刺耳的声音。他的声音让我身后的橙色幽灵都慌了神，它怔住了。

"埃里克！"

埃里克还在尖叫，他的脸却僵住了。他的身体变成了灰色的，裂成了一块一块的，就和侏罗纪星球的那个西装男一样。他的声音越来越高，达到最高分贝的时候，变成了机器的声音——就像自动的音效。

"啊啊啊啊啊啊啊！"

我用尽全力奔向埃里克，眼泪瞬间夺眶而出。我该怎么办啊？把他拉过来？那肯定会拽碎他的胳膊的。想到这儿，我不忍心再看他，把脸转到了一边。也就在这时，我无意间瞥到了角落里的配电箱。

没错！只有这一个办法了！

也许一切都为时已晚，但我还是要搏一把。我猛地停下来，一下子拽开了配电箱的金属门，把里面所有的闸都断开了。

配电箱上的黄灯瞬间暗了下来，电脑塔也开始移动，回到了原来的位置，周围的幽灵都消失了。一切似乎都在往好的方向发展，唯一不变的是埃里克的尖叫。渐渐地，他的叫声越来越小。

"啊啊啊啊啊啊啊……"

一切恢复了宁静。

"埃里克？"我大喊。

没有任何回应。周围一片黑暗，我借着紧急出口红色应急灯的光，朝着埃里克的方向连滚带爬。

"好兄弟，你说句话啊！"

我停下脚步仔细分辨。屋子里似乎有喘气的声音，只不过听上去声音很微弱。

"埃里克，你说话啊！"我终于走到了他身边。看到埃里克的样子，我倒吸一口凉气。他还是站在那里，也确实还有呼吸，但是看上去已经没有了生命的气息。他全身都在抽动，双手紧握，双目紧闭。

我抓起他的一只手，试图唤醒我的朋友。"埃里克，已经没事了，那些幽灵都消失了，咱们安全了。"

"这儿……很疼。"

"什么？什么很疼？你哪里难受？快告诉我啊！"

"头。"

"头？没事的，我来……"看着埃里克的头，我一时语塞。怎么形容呢？我眼前的埃里克更像是艺术课上做出来的陶器，并且还是刚从窑炉里拿出来的那种。他的头还是裂成一块一块的。我顿时感觉胸口一沉："我马上给你缠上绷带，好不好？"

"新——新——新——新……"埃里克的嘴唇在动，他努力想要说明白。"胸。"他终于说了出来。

"你胸口也疼吗？没事的，咱们……"

我还没说完，他突然睁大了眼睛。"着火了！这里着火了！"他开始疯狂捶打自己的胸口。

"快停下来！没有着火！"

但埃里克根本不听，只是捶打着自己的胸口。他越来越用力，同时开始痛苦地呻吟："啊啊啊啊啊啊啊啊。"

我的眼泪吧嗒吧嗒地往下掉。"躺下来，别动了，好不好？我求求你，哪怕是为了我，赶快躺下吧。"

该怎么办？我抬起头，想让自己冷静一点儿，恰巧看到天花板上的监控摄像头正对着我们。"嘿！"我大喊着，"嘿！我们在这儿！我们已经通过你的挑战了！"

任凭我怎么喊，都没有得到任何回应。

"快放我们出去！"

监控摄像头只是静静地凝视着我们。

我站起来，从旁边的电脑键盘上抠下一个按键，大步冲到监控下面，用尽全力朝着摄像头砸了过去。我把自己所有的愤恨和痛苦都倾注于这个动作，我用的力气太大，胳膊肘都疼了。

"你听到了吗？别在那儿当缩头乌龟！你必须把他给我治好！"

我又去抠电脑键盘上的按键，突然听到旁边咔嗒一声。我循声望去，看到紧急出口的门居然开了。

"在这儿等我！"叮嘱完埃里克，我带着一腔怒火大步朝紧急出口走了过去。此时我体内的肾上腺素已经达到了峰值，有种想要砸墙的冲动。

"我就在这儿！"我大喊着走出了迷宫的房间，进入另一个房间。

啪。啪。啪。

屋顶的灯一个接一个地亮了起来，这里看上去像是一间办公室，但是里面空空荡荡的，只有一个宝箱和一张超级大的桌子。桌子上放着一台笔记本电脑，后面还有两个身影——是马克曼和巴格其勒！

马克曼笑了笑："欢迎光临，勇敢的战士。"

21
超级终极战士

　　我快步走过去，就像埃里克之前做的那样，用尽全力朝马克曼挥拳。可惜我还没碰上他，他就一把抓住了我的拳头。

　　我终于见到了马克曼本人。

　　"这也太不礼貌了。"

　　"把他治好！快把他治好！"我咬牙切齿地怒吼着。

"啧啧啧，这可不容易。你们没少给我惹麻烦。"

"我已经搞明白了《比萨男孩》！你必须把埃里克治好！"

"你们搞明白什么了？"

"我找到了配电箱！切断了所有的电源！"

"呵呵，你真有想象力，以为这样就万事大吉了？错！大错特错！这么做一点儿用也没有。"

"我已经关上了这里的电源，所有的灯都灭了，幽灵也消失了。"

马克曼像对待三岁小孩一样，拍了拍我的脑袋："这个配电箱只不过是个摆设。你睁开眼看看，鲁本宇宙不需要电，一切都听从我的指令。明白了吗？"

他打了个响指，随即一个橙色幽灵出现在离我三米远的地方，眼看就要飘过来攻击我了。这一回我没有尖叫，也丝毫不畏惧。幽灵马上就要碰上我的鼻子时，马克曼又打了个响指，幽灵很快便消失了。"我关闭了游戏系统，为的就是和你好好聊聊。"马克曼身体前倾，"现在你明白了吧？是我控制着这里的一切。"

"但是，你控制不了这里的温度！"我反驳道。

"什么？"

我指着马克曼衣服的腋下——两边都有明显的汗渍。"鲁本宇宙温度过高，不是吗？现在所有星球都这么热。"

"你热吗？"马克曼问，"怎么不早点儿说呢？"突然间，屋子里的气温下降了至少二十摄氏度。"这下够凉快了吧？"他话音刚落，周围的一切瞬间都冻结成冰。"要是你还嫌热，还能更凉快一些。"

我努力控制自己，但还是冻得直打寒战。马克曼又是一记响指，天花板消失了，强烈的暴风雪突然袭来，寒风在房间内呼啸，大片的雪花在地上覆盖了厚厚的一层。

我冻得瑟瑟发抖，手都冻紫了。实在是太冷了，尽管我努力克制，最后还是如马克曼所愿，说出了他想听到的话："快停下来！"

马克曼耸了耸肩，打了个响指。一切又恢复了正常。"要是你还有什么不满意的，一定要及时告诉我。"

"啊啊啊啊啊啊啊。"

我转过头去，是埃里克爬了过来。在明亮的灯光下，他看上去更糟了。刚爬过来，他就一下子躺在地上，开始了痛苦的呻吟："啊啊啊啊啊啊啊。"

"哎哟，我的天哪。"马克曼说，"他没事吧，看上去状态不太好啊。"

看到自己最好的朋友被折磨成这个样子，我脑袋都充血了，挥拳就朝马克曼打了过去。马克曼轻轻挥手，我的拳头就停留在半空中，一点儿也动弹不得。

"不——得——无——礼。"他说着放下了手，我这才恢复了自由。

埃里克挣扎着想要站起来，但是他的身体似乎快要散架了，刚站起来又重重摔到了地上。"啊啊啊啊啊啊啊。"

"嘘——乖一点儿，别乱动了。"马克曼说着走了过去。

他围着埃里克绕了两圈，开始挖苦我："你看你，真是把自己的朋友害得不轻啊。"

"是你把他害成这样的！"

"这可没我的事。难道你忘了？一开始我就告诉你们怎么解决这个难题了。是你自己不愿意牺牲，才把他害成这样的。"马克曼说着摸了摸埃里克的头，只见埃里克的头发掉了一大把。

我已经没了刚才的底气和怒火，只觉得全身瘫软："求求你救救他吧，这是我唯一的请求，把他治好吧。我保证我们会马上离开这里，不会再找你的麻烦。"

"你想让他好起来吗？我来给你指条明路。"马克曼说着走到办公桌前，又拿来了一杯给派珀博士的酒。

看着桌子上的酒，我激动万分——杯子就放在他的电脑旁，这是个绝佳的机会。想到这里，我假装顺从："那么，如果我听你的，喝了这个，埃里克就能好起来，对吗？"

"不不不不，他永远不会恢复正常了。"马克曼说，"你要明白，你这是自作自受。他是绝对不行了，但是你喝了这个能帮他减轻痛苦。"

"不要这样，求求你救救他！"

"好好听着，这绝对是你最痛的领悟。但是，如果你能明白这个道理，你的人生将会翻开新的一页，你也会成为一名真正的战士。"见我还是没有喝下去的意思，马克曼又开始转变策略："杰西，看看你的朋友多痛苦。喝下去吧，给他一个解脱。他希望你能帮帮他。"

我已经不忍心再看埃里克了，直接问马克曼："我把这杯酒喝下去他马上就不疼了，对吗？"

"我可以向你保证，只要有一滴进了你的嘴，他就不再痛苦。"

我长舒一口气，走到桌子边。

"这就对了。"马克曼说，"这才是一个终极战士应该有的样子。"

我举起杯子看着里面的酒，假装还在犹豫。为了演得更逼真一些，我还特意让自己的手看起来在发抖。

"喝吧。"马克曼笑了，"只要一小口，一切都会结束。"

我把杯子举到嘴边，假装要喝下去。就在马克曼自我陶醉的时候，我使劲把酒泼到了他的电脑键盘上。

我的动作行云流水，马克曼根本来不及阻止我。酒渗到了键盘里，电脑仿佛出故障了，开始吱吱、咝咝一通乱响。我紧张地屏住呼吸，看向了马克曼。他惊呆了，嘴巴大张着。突然间，马克曼的脸开始抽搐。"你——你——这是——要——要干什么？"

"我在拯救世界啊！"

"我决——决——决不会放过你——你！"马克曼看上去僵住了。

我紧张得不敢喘气，接下来会怎么样？鲁本宇宙的一切是不是也会停滞？我是破坏了鲁本宇宙的系统，还是暂时让这里的一切停滞了？我凑到马克曼跟前，仔细打量他。他看上去像一座雕塑，我盯了他好一会儿，还拍了拍他的脸。

"噗！"马克曼突然出声，嘴角还露出一丝奸笑。

我吓得后退一步。

刚才的噗噗声变成了一阵狂笑，马克曼笑了好久。"实在抱歉，真对不起，我就是想逗逗你！太有意思了！"他擦了擦眼角笑出来的眼泪，"这么说来，你的大计划就是往键盘上泼酒吗？还天真地以为这样我就会爆炸、消失？来，给我，让我也试试。"

马克曼假装两眼发直、开始抽筋："天哪，我熔化了，有个孩子往键盘上泼了点儿酒，我就要不行了！哈哈哈哈哈哈！"马克曼大笑着拍了拍巴格其勒的肩膀。巴格其勒完全没有理他，似乎没有明白笑点在哪里。

我也傻眼了："我以为这台电脑能控制鲁本宇宙。不是吗？"

"看来你还没搞明白啊，这里可没有控制主机！我就是这里的主宰，我的话就是圣旨！"马克曼说着指了指那台电脑，电脑一下子变成了一根香蕉。

"想知道为什么我这么厉害吗？我就是这里的控制主机！"

我感觉一阵眩晕。接下来该怎么办呢？

"对了，差点儿忘了！我还给终极战士准备了奖品呢！"马克曼指了指旁边的宝箱，"可惜的是你没能通过考验，成不了终极战士。没办法，我只能让巴格其勒把你们带到黑匣子里面去。埃里克将受尽折磨，痛不欲生，而你每碰他一下，他就会像酥饼一样掉渣。想想我都难受。"

马克曼说着假惺惺地擦了擦眼泪，抬胳膊的瞬间我又看到了他的腋窝，那里的汗渍更多了。就在他拍我脑袋的时候，一股令人作呕的汗臭味迎面扑来。

"你可别恨我，我们之间没有什么私人恩怨。我这么做不是因为你不好，只不过到了这里，你就要守这里的规矩。不按规矩办事，你就成了系统漏洞，巴格其勒可不会允许这种事情发生。他必须消灭所有漏洞，明白吗？"

"随你怎么说。"我回应着，"把我们放到黑匣子里也没关系，但你必须赶快中止你的邪恶计划。系统越来越热了，你也感觉到了，不是吗？"

刚才还扬扬自得的马克曼瞬间变脸："这里一切都很好！不要再胡说八道了！"

"这里的温度根本不正常，你自己也流汗不止！"

马克曼脸涨得通红："一切都在我的掌控之中！在这里我说了算！"他开始在屋子里一通乱指，一棵棵大树拔地而起，桌子变成了一个蝴蝶酥，并且左边的墙上有瀑布倾泻而下。

"马克曼……"我想要阻止他。

"我就是超级终极战士！"马克曼大喊着又指向了地上的埃里克，埃里克的右胳膊从身上掉了下来。

埃里克甚至连尖叫的力气都没有，只能呆呆地看着自己的胳膊掉到了地上。这还不够，马克曼居然走过去踢了埃里克一脚。"消除漏洞！"他向巴格其勒下达命令。

巴格其勒举起手上的发射器，伴随着一阵浓烟，埃里克的那只胳膊连影儿都没了，地上只留下一个蓝色圆形印记。

马克曼又走到我身边。

"这是我的世界！"他更加冷漠了，"我说什么就是什么，都听我的！"

他盯着我，等着我的回应。但我只是怔怔地看着地上那个蓝色的圆形印记——我好像在哪里见过这个。

我恍然大悟，小豆豆消失的地方不也有这个吗?!

一切都说得通了。我这才认清了马克曼的真面目。

有办法了!

22
系统漏洞

"能给我看看宝箱里面的奖励吗？"我突然问。

这请求令马克曼猝不及防："什么？"

"我想看看宝箱。虽然没能通过挑战，但是在进黑匣子之前，能不能让我们看看里面装的到底是什么？"

马克曼一笑："乐意至极！"他用手一指，宝箱一下子开了。

我凑过去往里面看:"这是空的啊!"

马克曼笑道:"哈哈哈,人们争先恐后、拼了命来这里寻宝,却不知道箱子里什么都没有!是不是很有趣?"

"我就知道会是空的。"

马克曼大手一挥:"不可能!"

"怎么不可能?你不就是这样嘛!人们都进入鲁本宇宙,总会有人更厉害,会威胁你的地位,所以你就想了这么一个办法。不费吹灰之力,你就能找到那些厉害的人,先下手为强!想一想,谁会放弃这个扭转乾坤的机会呢?总会有人上钩。然后,你又不断升级挑战,设置一些根本不可能完成的任务,好借着挑战的名义光明正大地铲除挑战者!这里从来都没有宝藏,这一切不过是你为了保住自己的地位,精心设置的骗局!"

马克曼挑了挑眉,有几分得意:"不仅如此,看你们拼得你死我活也能让我觉得有意思。"

"但是你千算万算忽略了一点,终极战士可不会用这么下作的手段!"

马克曼耸了耸肩,不屑一顾地说:"随你怎么看。"

"不光我这么想,你也这么想!难道你忘了自己说过的话了吗？真正的终极战士会直面挑战。"

"何必多费口舌，你马上就要进黑匣子了。"

"先别着急结束谈话！"我越来越有底气，"你说自己不仅是'终极战士'，还是'超级终极战士'？这又是怎么一回事？一个人能有两个身份吗？这不就成了……"

"漏洞！"马克曼情绪激动地指着我，"他就是系统漏洞！"

巴格其勒举着发射器看向我，一时间不知道该瞄哪边。

我笑了："还记得小豆豆吗？"

"我说过了！他是系统漏洞！"马克曼重复着这句话。

"埃里克给那只勇敢的小猫起名叫小豆豆。小豆豆当时也违反了鲁本宇宙的规则，不是吗？他用爪子在墙上抓出了个洞，救了我们两个。小豆豆做了不该做的事，被巴格其勒消灭了。"我指着地上的蓝色圆形印记，也就是埃里克的胳膊消失的地方说。

马克曼的脸涨得通红，我还没见过他这么紧张。

他伸出手指，想要除掉我。好在巴格其勒及时跳到我俩中间，挡在了我前面。巴格其勒开始发力，一股强大的力量如涟漪般扩散开来，马克曼跌跌撞撞地后退了几步。

　　"根据系统设定，一旦出现漏洞，就需要巴格其勒来消除。"我继续说。

　　"快闭嘴！"

　　"你检查了整个系统，开始着急了。你心想，哪里来了两个毛孩子？怎么已经通过一半的挑战了？"

　　马克曼指着天花板发功，天花板瞬间塌了下来。巴格其勒举起拳头，变出一面蓝色的盾牌，把我护在后面。

　　"你害怕了，所以提前开始了鲁本狂欢。我们的手表明明显示还没到时间，却不断有人被传送进来。这都是因为你，你耐不住性子，临时改变了计划。"

　　马克曼又指向地板，我脚下的地板瞬间消失了。还好巴格其勒在我掉下去前一把抓住了我。

　　"你！"马克曼激动地指着巴格其勒，"你被解雇了！"

　　"你可没有这个权力！"我冷冰冰地说，"巴格其勒是一个程序，负责消除系统漏洞！但是，现在系统漏洞想要反过来除掉巴格其勒，会怎么样呢？"

　　马克曼气急败坏地按着手表上的按键。"看我的！"他说着，脸开始变得模糊起来，他这是想要逃跑。突然，巴格其勒一把抓住马克曼的脖子，这家伙的脸又恢复了正常。

"你口口声声说自己是超级终极战士，还给我们讲了那么多慷慨激昂的话，难道都是假的？"我说，"真正的战士强大、勇敢，能坚持到最后一刻。真正的战士还足够睿智，能随机应变。没错，这是你创造的世界。我以为你说的是真的，现在看来都是一派胡言！不是吗？你一点儿也不强大，还比不上一只小猫咪！你一点儿也不勇敢，自己都不敢面对挑战。你甚至连坚持到最后的毅力都没有。你是不是后悔让我们来参加挑战了?!"

我说话的过程中，巴格其勒一直掐着马克曼的喉咙，死死地盯着他。

"你想知道一名真正的战士是什么样子的吗？"我的手颤抖着指向埃里克，"你看看他！"

巴格其勒的手攥得更紧了。

"马克曼，你根本不是什么战士，只不过是个大骗子，是个冒牌货！你才是系统里最大的漏洞！"

我终于说完了，却没有畅所欲言的痛快，而是紧张地观察着巴格其勒的反应。巴格其勒盯着马克曼足足看了他五秒钟，然后把他放了下来。

"谢谢。"马克曼拍了拍衣服上的褶皱，"我当然……"

他突然不说话了，因为巴格其勒正在冲他挥手。

轰隆！

就这样，马克曼永远消失了。但是，巴格其勒似乎还打算继续，他又转向埃里克，冲他挥手。

"停下来！"我大喊。

轰隆！

几乎同时，屋子里亮起耀眼的白光，我能听到开火的声音，却看不到发生了什么。

"埃里克！"我声嘶力竭地喊着。我虽然用双手捂住了眼睛，但还是眯着眼透过指缝往外看，想找到我的朋友。可我只看到了冲我招手的巴格其勒，他将发射器对准了我。但他还没来得及攻击我，就被耀眼的白光吞噬了。

慢慢地，我也和白光融为一体。

呼呼呼！

23
倒计时

"谁？"

我睁开眼睛，居然有一把枪在戳我的脸。

"都躲开！"我听见有人在喊，"这是个孩子！"

我想要搞清楚状况，可是屋子里太暗了，只能依稀分辨出有二三十个壮汉提着枪站在我周围。

又有人说："温度恢复正常了，打开电源吧！"这声音那么熟悉！天哪！是格雷戈里先生！

　　屋子里的灯唰地亮了起来，我才发现自己已经回来了，躺在马克曼投资公司的办公室里。屋子里除了电脑，还有很多穿着警服的人。见我醒了，其中一个人赶紧去喊格雷戈里先生："请问你认识这个孩子吗？"

　　"等一等，我现在正……"

　　格雷戈里先生往这边扭了一下头，眼睛瞬间睁得大大的："杰西！你醒了！"

　　"埃里克在哪里？"我问。

　　"我还不知道……你在哪里……你是怎么……"看起来格雷戈里先生有很多话想说，有很多问题想问，一时间竟语无伦次起来。终于，他拼凑出一个完整的句子。"这是你做的吗？"说完，他指向电脑屏幕。

　　我看过去，屏幕上的一串数字在不断变化，数字变得越来越小。

　　1643221。

　　994576。

　　521877。

　　"这是什么？"

"鲁本宇宙中的人口数量！"格雷戈里先生回答。

"咱们是不是——是不是成功了？"

"你说呢！"

我用手揉着脸，不停地重复着一句话，"埃里克在哪儿呢？"

"马上所有的人都能出来。"格雷戈里先生说，"过不了多久咱们就能见到埃里克了。"

133592。

99555。

77628。

我越来越慌："不，这次不一样，他的状况非常不好，真的！格雷戈里先生，咱们必须马上去救他！"趁着所有人放松警惕，我径直朝着通往鲁本宇宙的大门冲了过去，一把拉开了门。但是，门里面只是一面普通的墙，除此之外什么都没有。

一名警察把手放在我的肩膀上，语重心长地说："走吧，你需要检查一下身体。"

"我要等埃里克回来，我要和他一起去！"我说着又跑到总控制电脑旁。

23003。

15909。

11777。

"为什么你说埃里克的状况很不好？他怎么了？"格雷戈里先生轻声问。

"他全身没有血色，还出现了裂纹。他的胳膊——他的胳膊还掉了……"我说不下去了，把头转到一边，假装在看人口数量，不想让人察觉到我流出了眼泪。

但格雷戈里先生听懂了，他用手拍了拍我的后背，说："没事的，埃里克一定会没事的。"

我努力让自己相信格雷戈里先生的话。谁比他更有发言权呢？要是埃里克真的有事，格雷戈里先生一定会告诉我的！但是，他不在现场，没有听见埃里克胸口破裂的声音。想到那一幕，我就感觉头晕目眩，喘不过气来，泪水也不再受控制，顺着脸颊流了下来。我死死盯着屏幕上的数字。

6421。

4453。

2976。

　　我从没放弃希望，一心想着电影中的情节能发生在我眼前：屋子里的气氛紧张到了极点，镜头拉近，能看到警察在默默祈祷。电脑屏幕上的数字越来越小，最后变成了1。似乎一切都无可挽回了，所有人都陷入悲伤之中。突然，屋子的角落里传来一个熟悉的声音："大家是不是想我了？"我们一起回过头去。奇迹出现了，埃里克站在那里冲我们招手。这时候情节达到高潮，轻松愉快的背景音乐开始播放，镜头逐渐拉远，大家欢呼着把埃里克围了起来。

　　数字一直在降，但我没有气馁，我想着电影里的高潮一定会出现。最后，真的和电影里一样，屏幕上的数字变成了个位数。

　　5。

　　3。

　　1。

　　这个"1"在屏幕上停留了很久，然后突然变成了"0"。

　　和电影中不一样的是，埃里克自始至终都没有出现。

24
无敌浩克

　　"你的朋友是个真正的英雄。"离开马克曼的办公室时，一名警察对我说。

　　"他是英雄！"我更正道，"他肯定会回来的！"

　　我强硬的语气让这名警察有些无措，他说："我理解你的心情，但是我们检查了所有的服务器，游戏世界里已经没有人了。"

"等着瞧吧。"我还在嘴硬。

在接下来的几周里,我不停地重复着这句话。比如说,我去做头部扫描的时候,护士一边做一边安慰我:"请节哀。"

"等着瞧吧。"

比如说,安全局特工找我了解情况的时候,一边看资料一边感慨:"你的朋友没有白白牺牲。"

"等着瞧吧。"

再比如说,我去见学校专门安排的心理咨询师时,他试着帮我修复心理创伤:"失去最好的朋友……"

"等着瞧吧。"

最让我难受的是,随着时间的推移,再也没有人来安慰我了,似乎所有人都已经认定了埃里克再也不会回来这个事实。他们的眼睛里还有悲伤,却对埃里克的事只字不提,不给我机会去纠正他们。但是,不管怎么样,我始终不相信我的好朋友消失了。我知道埃里克一定会回来,格雷戈里先生曾承诺过,埃里克一定能回来!

这些日子里,我一直想和格雷戈里先生好好聊聊,但却没找到机会。经过上次的事件,很多人都把鲁本宇宙所造成的灾难归咎于他，调查局不得不施行"保护计划"，把他们一家人转移到了安全的地方。我一直在向人们解释，这场灾难不是格雷戈里先生的错——他一直在阻止马克曼。

但是，几乎所有人都有亲戚朋友被卷入鲁本狂欢之中，他们很难客观看待这个问题。试想一下，要是你在乎的人突然被传送到了豪猪星球，你也肯定不会放过任何相关的人。这么大的阴谋，没有人员伤亡真是不幸中的万幸。马克曼·鲁本消失了，只剩下升级系统的格雷戈里先生。不怨他，大家还能怨谁呢？

一个月又一个月，大家逐渐淡忘了这件事，开始为别的公共事件义愤填膺。那些警察不再找我问话，记者也不再在我出现的地方蹲点，可以说，我的生活慢慢恢复了正常。但没有埃里克陪伴的生活，怎么能叫正常生活呢？

我害怕自己会忘记他，每天都想找人倾诉，想讲一讲我和埃里克的冒险经历。可惜的是，很少有人用心去听。哪怕是我的妈妈，也只是应和着点点头。要是讲到惊险的地方，比如"机器人举着大刀冲我砍了过来，好在我一下躲开了"，她就会被吓一跳，最后变成我安慰她。我再也找不到可以倾诉的人。

回到学校，我每天都和马克·惠特曼在一起。经历了那么多，马克愈发沉默寡言，但是至少他能懂我的感受。我还经常找萨莉视频聊天。和机器人作战的时候，萨莉是个勇敢的战士，没想到她还是一个懂得倾听的好朋友。我倾诉时，她都静静听着。每当我情绪失控，她也总是假装网络不好，给我机会去释放自己的情绪。

有的时候，我也会气馁。九月底去埃里克家的时候，我的心都在滴血。之前我们总是待在他家的地下室里玩，那里还有很多我的东西。每次我去拜访，仿佛都在往埃里克父母还未愈合的伤口上撒盐。后来，我和康拉德太太约好了时间，打算一次整理好所有东西。

这可比想象中要复杂得多。在此之前，相关部门早就把电脑硬盘清理干净了，找不到一丝电子游戏的痕迹。这给我省去了不少麻烦，但我和埃里克实在是太能攒破烂儿了。纸吸管、纸风车和各种纱线都被我们当宝贝收集起来，指望着用这些建造世界上最大的玻璃弹子轨道。摆在我眼前的有混合在一起的各类棋，每类棋都少些棋子。橱柜里的玩具见证了岁月的流逝和我们的成长，米老鼠、巴布工程师、风火轮、忍者神龟……整整一天，我都在和埃里克的父母收拾这些零零碎碎的东西。我们沉浸在回忆中，几乎没怎么说话。

直到康拉德先生从沙发后面找到一个培根形状的抱枕，才打破这死一般的寂静。

"这是你的吗？"他问我。

"不是。"

康拉德先生闻了闻这个"大培根"，皱着眉头把它扔到了垃圾桶里。康拉德太太见状摇了摇头："埃里克以前最喜欢这个了。"

她转向我，拿着一个没了脑袋的小玩具问道："这个你还要吗？"

"给我吧。"我回答，"埃里克本来打算给这个摔跤的小人安上无敌浩克的脑袋，但是一直没找到自己的无敌浩克。这还挺有意思的，我想试一试。"

"我知道无敌浩克在哪儿。"康拉德先生说着，开始翻旁边的箱子。没一会儿，他就举起一个无敌浩克的小玩具。我接过来，把它的脑袋装到了摔跤小人身上。看着眼前绝佳的组合，我不禁嘴角上扬——这主意真不错！

叮咚！

门铃响了，康拉德太太叹了口气："我……我还是很……亲爱的，你去看看是谁吧！"

康拉德先生在沙发后回答道："马上！"

"我去看看吧！"我说。

"好的。"康拉德太太说，"不管是谁，告诉他我们一会儿就出去。"

"没问题。"我拿着摔跤小人打开了门。

"无敌浩克！"来人大声喊着。

是埃里克！

我手里的玩具掉到地上。不可能，这是真的吗？简直是最好的美梦！我张开嘴想要说话，却如鲠在喉，只是下意识地伸手摸了摸眼前的这个人。我能真真切切摸到他肚子上的肉！埃里克真的回来了?!

我还没来得及继续求证，埃里克就一把抱住了我："我以为再也见不到你了！"

我捧着他的脸，上上下下打量了半天。这就是埃里克，他终于恢复正常了！他身上的裂纹消失了！两只手臂都好端端地长着！"你这是去哪里了？"我努力控制自己的情绪，好半天只说出这一句话来。

"我也不知道是哪儿，周围什么都没有，黑漆漆一片。我在那里待了很久很久。好在格雷戈里先生找到了我！"说着，埃里克指了指停在路旁的车。司机看上去很像格雷戈里先生，但是他那标志性的发型不见了，头发乱糟糟的，像一团抹布。听见埃里克的话，他在驾驶座上如坐针毡，瞪大眼睛使劲摇头。

　　"不是，不是格雷戈里先生。"埃里克赶紧更正，"我是说鲍勃救了我。"

　　想到埃里克曾被困在那黑匣子里，我就觉得窒息。"真对不起，我没和你在一起，我没能救你。太对不起了。"

　　"你说什么呢！"埃里克说，"你救了所有人！再说了，我在那儿也不孤单，还有个小家伙一直陪着我呢！你说我爸爸妈妈能同意它留下来吗？"

　　我低头一看，惊得大喘了一口气。埃里克脚边的小猫太可爱了，正扑闪着大眼睛看着我。

　　"小豆豆！"

25
游戏结束

　　故事的结局太过伤感，令人心碎，建议你还是翻到前面去看看。说句实话，看了前面的内容能让你心情好点儿。

　　怎么样？这一招是不是很有用？直接翻到最后想提前知道结局的你，是不是被骗了？哈哈！咱们言归正传，最后真的是皆大欢喜。

埃里克一家收留了小豆豆。看到儿子毫发无损地回来了，埃里克的爸爸妈妈高兴都来不及，别说收养一只小猫了，养只猎豹都会答应。而且，小豆豆这么可爱，一般的宠物根本不能和它比。这个小家伙太聪明了，绝对是有史以来最聪明的小猫。在黑匣子里，埃里克教会了它不少技能。它可以倒立，可以尾巴着地支撑住身体，可以喵喵地唱十五首不同的圣诞歌曲，还能跟着经典儿歌跳舞。

埃里克也变得不一样了。进入黑匣子的经历让马克变得寡言少语、神经敏感，却让埃里克更加活跃了。这家伙每天都元气满满，超级热爱生活。他回来的第一天就号召我们一起去了冰激凌店。在尝了三十一种不同口味的冰激凌后，埃里克宣布每种口味他都喜欢。他越来越喜欢小动物了，见了路边的小猫小狗都要过去逗一逗。另外，埃里克从宅男变成了户外运动爱好者，有那么几次，吃了早饭他就拉着我一起去公园，哪怕烈日当头也要在外面疯玩，直到天黑才肯回家。

在公园里晒太阳的时候，趁着小豆豆不在（它跑到前面去取悦一对老夫妇了。没错，我们出来还要带着小豆豆，就和遛狗一样遛猫。我早就说过了，它可不是一只寻常的小猫），我终于鼓起勇气，问出了那个想了很久的问题："那时候，疼吗？"

"什么啊？"埃里克完全不明白我在说什么。

"马克曼说你在黑匣子里会痛不欲生，是这样吗？你怎么挺过来的？"自从埃里克消失，这个问题就一直折磨着我。

"完全没有！"埃里克回答，"我全身早都酥了，巴格其勒冲我开火的时候我就散架了。"

我怔住了："什么？天哪！那你怎么没有消失？"

埃里克耸了耸肩："我也觉得奇怪，感觉在黑匣子里的不是我的身体，而是灵魂。我能和小豆豆说话，却不能碰它。格雷戈里先生说当时我的大脑被关进了黑匣子，身体没有跟进去。"

我沉默了："你当时一定很孤单吧！"

"开始是有一点儿，我感觉又孤单又无助，好在还有小豆豆。"

这时候小豆豆正向一个跑步的人献殷勤，可把那人高兴坏了。

"而且，我脑子变得特别好使，怎么说呢，只要我想，所有的游戏都能在我脑子里回放。很棒吧！"

"这……太不可思议了。"

"是啊。但是，让我坚持下来的不是这些。"埃里克看着我，"是你，杰西。"

我低下头，强忍住眼里的泪水。

"彷徨无助的时候，我都会回忆咱们一起冒险的经历。忍耐力挑战那一关是我的最爱，差不多在脑子里播放了几百万次。你说的话一直激励着我，让我坚持下来，做一名真正的战士。"

"你是一名真正的战士。"我补充道。

埃里克点了点头："咱俩都是！"

我低下头笑了，也许我也是一名真正的战士。

探索无限

　　学会编程你就会发现，完成一套程序的感觉真是太棒了——可惜这种感觉持续不了两秒钟。因为只要对代码进行测试，你就会发现很多问题。哪怕是编程高手，也逃不开漏洞，小小的失误也会导致整个程序崩溃。

　　可惜现实生活中没有巴格其勒帮你找到并消除漏洞（至少现在还没有）。也就是说，代码中的漏洞需要程序员自己查找、修复。查找和修复漏洞的过程非常痛苦，会让你备受打击。

别灰心！只要找对方法，修复漏洞的过程也很有趣。通过下面 4 个步骤，你也能快速定位并修复漏洞。

1. 扫描

在程序开发过程中，程序员通常会使用单步调试的方法来寻找漏洞。他们使用的工具是一种可以逐行运行代码的调试器，当它突然停止时，就代表成功找到了漏洞。

2. 评估

是时候彰显你的侦查能力了，像侦探一样思考、提问吧。为什么测试结果没有达到预期？能不能重新编写出现问题的那一部分？错误报告显示什么？在这一步，你不需要解决问题，只需收集线索，思考怎么做。

3. 修复

根据上一步中的线索，制订修复方案。这种情况之前有没有出现过？以前是怎么解决的？有没有检查拼写错误？你可以找自己的编程老师来帮忙，或者百度一下错误报告的内容，看看有没有解决方案。在错误中学习，能帮助你更好地掌握所学知识。

4. 再修复

恭喜你成功修复了漏洞！真想抱抱你，你终于可以放松一下，把自己辛苦编写的程序……等一等！怎么回事？程序为什么还是无法正常运行？很多时候，漏洞不止一个。而且，在修复漏洞的过程中，很可能引发其他问题。别着急，深吸一口气，做好再次查找漏洞的准备，你肯定能修复所有漏洞！

在现实生活中，你可以通过制作鲁布·戈德堡机械，来锻炼自己发现问题和解决问题的能力。鲁布·戈德堡机械非常有趣，是用弹珠、滑轮、杠杆等组成的复杂机械，这种机械常被用来完成一项非常简单的任务。它往往不会一次就成功，需要不断调试才能顺利运行，让每个零件都发挥作用。

根据下页的机械图（图中是一台落冰机），完成自己的第一个鲁布·戈德堡机械作品吧！开动脑筋，整个过程才更有意思。

1. 制作弹珠斜坡

可以用纸巾筒、风火轮汽车轨道、长管子，甚至厚书制作一道斜坡。没有弹珠也没事，用乒乓球、柠檬、风火轮汽车都可以。只要确保从斜坡滑落下来的物体正好可以碰倒第一块多米诺骨牌。

2. 摆放多米诺骨牌

用不同的东西作为多米诺骨牌，按从小到大排列。打个比方，可以用一块积木碰倒一个饼干盒子，再碰倒一个游戏机盒子，接下来是一本 32 开的书，最后是一本 16 开的书。

3. 制作气球爆破器

做一个简易的跷跷板，并在一端固定一枚大头针，使针尖朝上。摆好跷跷板，让最后一块多米诺骨牌正好压住跷跷板的另一端，这样有大头针的那端就会抬升。

4. 吹起气球

在气球里放上冰块，再把气球吹起来，并放到跷跷板上的大头针抬起恰好可以碰到的位置。再在气球下方放一杯饮料，然后就等着喝冰镇饮料吧！

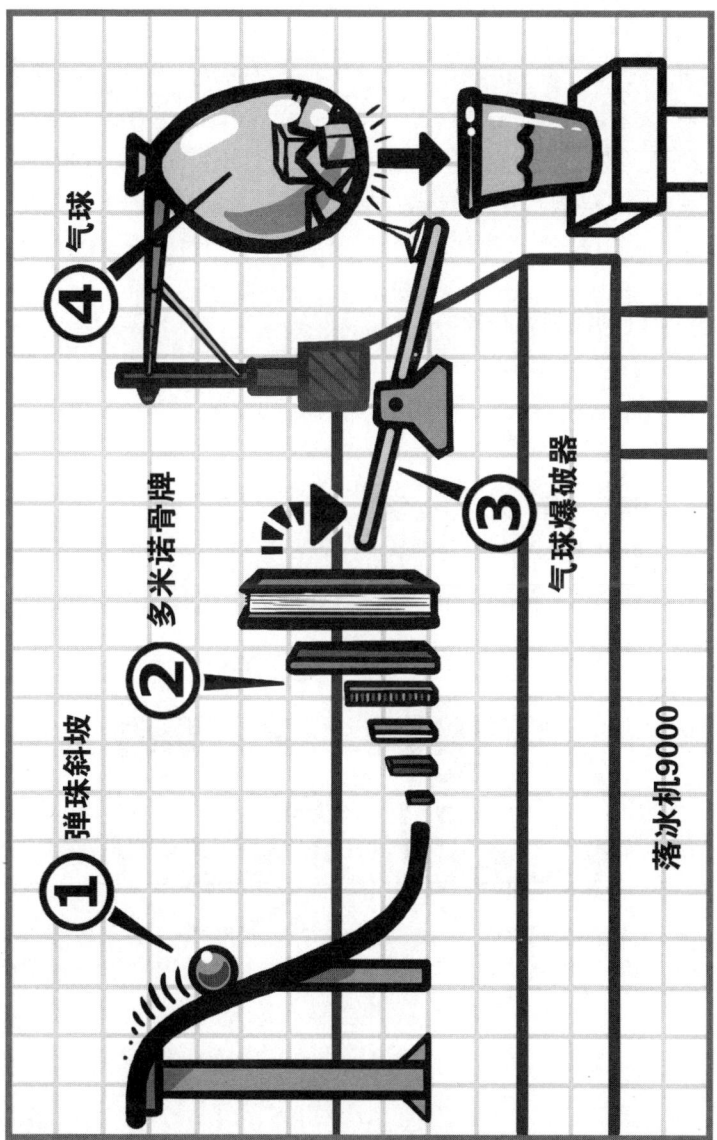

① 弹珠斜坡

② 多米诺骨牌

③ 气球爆破器

④ 气球

落冰机9000

一开始，你的落冰机很可能不会成功。没有关系，可以用前面的漏洞修复法进行测试。针对不同步骤，逐一进行单步调试，快速锁定问题。然后，反复试验，找到问题的根源，并认真思考，找到相应的解决方案。在解决问题的过程中，你可以参考下面的内容。不断重复单步调试，直到落冰机成功运行。

1. 制作弹珠斜坡

问题：弹珠滚到了斜坡外面。

尝试性解决方案：加高斜坡两侧的护栏，或者缩短斜坡，减小坡度。

问题：滚落的弹珠没有碰倒第一块多米诺骨牌。

尝试性解决方案：让斜坡陡一些，或者换一个沉一点儿的弹珠。也可以在斜坡上加装护栏，让弹珠沿着规定的路线滚下来。

2. 摆放多米诺骨牌

问题：还没布置完，有的多米诺骨牌就倒了。

尝试性解决方案：确保骨牌都放在水平面上。先增大相邻骨牌的间距，直到全部布置好，再将骨牌的间距调整到合适大小。

问题：有的多米诺骨牌没有倒。

尝试性解决方案：增加骨牌的数量，并确保每块骨牌重量合适。同时，可以减小骨牌的间距以增加骨牌倒下的力。

3. 制作气球爆破器

问题： 大头针没有戳破气球。

尝试性解决方案： 将最后一块骨牌换为更重的东西，以便增大倒下时的力，让大头针快速上升，戳破气球。还可以试着换一枚锋利些的大头针。

问题： 大头针碰不到气球。

尝试性解决方案： 调整跷跷板的位置，让大头针抬升得更高。

4.吹起气球

问题：冰块塞不进气球里。

尝试性解决方案：将冰块换成小冰球。

问题：冰块掉到了外面。

尝试性解决方案：将气球斜着固定。